S0-CBN-956

最受世界500强企业欢迎的沟通课

# 跟任何人都聊得来

（美）迈克·贝克特尔（Mike Bechtle）◎著

陈芳芳◎译

九州出版社
JIUZHOUPRESS

萨 拉：

多年如一日，
你陪着我谈心聊天，
我倍感欣慰和荣幸
——这也是一个女儿能够给父亲的最好礼物了。

# 目录

# 序　言 | 把对方看在眼里，放在心上

> 市面上有各种各样的书籍和学说，其中罗列了成千上万的建议和技巧，所有这些交谈技巧都离不开交谈之道：真正在意对方，将对方放在你心上。

里克·沃伦说过，每个人都想要对他人的生命产生一定的影响。当我们通过有效的沟通方式，和他人建立起联系时，我们就获得了影响他人和世界的机会。

在充斥着快节奏电子通讯的今天，面对面交谈显得尤为重要。科学技术可以成为人际沟通的有力工具，但是，它无法取代交谈本身。人们的生活会因为推心置腹的交谈而改变，这是高效率的电子邮件无法做到的。

花时间练习自己的交谈技巧，你的生活也会因此改变。学习烹饪、园艺及汽车修理都是不错的选择，而学习交谈则是一切技术的基础，因为沟通是人类社会最基本的生存工具。这就像是车子的引擎，你可以拥有世界上最昂贵的汽车，但是，如果引擎不给力，一切也都是纸上谈兵了。

市面上有各种各样的书籍和学说，其中罗列了成千上万的建议和技巧。其实，万变不离其宗，所有的交谈技巧都离不开交谈之道：真正在意对方，将对方放在你心上。

记得一个从事公关多年的朋友说过一句“至理名言”，自己少显摆，多给对方显摆的机会。话糙理不糙，少一份自我，多关注对方兴趣和需求，对方会觉得你是真正在意他，信任感就会日益增加，所有的人际关系问题也就迎刃而解了。

在本书中，我将要给你介绍很多内容，概括起来都离不开以下四个关要素：

- 坚持自己的个性，让自己的独特之处发挥作用。
- 准备越充分，你就越自信。
- 永远保持一颗好奇的心，千方百计让自己变得有趣。
- 学会从他人的思维角度出发，真正在意对方。

## 让自己的独特之处发挥作用

几年前，我和妻子一起参观了一家小型画廊，我们留意到其中一幅画作：看起来像是一副棋盘格，由柔和的图画用纸剪成正方形构成。这幅作品放在了玻璃橱窗的帆布上。整体效果真的非常不错。而后我的眼睛留意到了价格标签：25 万美元。我并非内行，忍不住问店老板，为何这幅作品的价格会如此高昂。他没说什么，指了指作品低端的签名。这也不是我耳熟能详的人物啊！可是，店老板说，这个名字对于任何一位艺术界的人来说都如雷贯耳。

原来，作品的价值在于其创作者本身。相对于一件与原作同样的拷贝版，人们更愿意付高价买下原作。正是原作与其他拷贝版的不同之处让其鹤立鸡群，不是吗？

人总是对自己的现状不满。如果是直发，就总是想着烫成卷的，如果本身就是卷发，又总是羡慕那些直发的。我们总是在两个极端徘徊。

性格方面也是如此，我们这些内向的人往往想要成为外向的人，因为后者似乎在应对生活及人际关系方面更为自如。观察外向的人如何交流很有益，因为我们可以采纳那些适合自己的技巧。

其实，相对于交谈，倾听有时候显得更为重要，从倾听中我们也可以获得更多的信息，而在倾听方面，内向型性格往往更具优势。

我从事沟通力培训多年，每天都在和企业主管、经理人以及一线员工打交道，他们有的来自家庭经营的小公司，有的则来自“世界财富500强企业”。我发现，不管是何种身份、教育背景和收入状况如何，他们都或多或少存在两个方面的问题：

- 交谈困难症
- 倾听困难症

根据我多年的经验，不管上述何种情况，只要能够结合自身的长处和性格特点，沟通就可以顺利进行。

不管我们是偏向于安静，还是偏向于表达，这都不是错误。我们越是煞费苦心改变自己，越是努力让自己变得面目全非，就越会感觉沮丧。

本书将告诉你如何做真实的自己。如果你能够自如地表现自己的性格特点，能够在交谈中放松，欣赏他人的独特之处，那么真正的沟通就已经开始了。

##  准备越充分，你就越自信

关于自信，美国喜剧巨匠杰瑞·宋飞曾经讽刺说，在葬礼上，多数人可能宁愿自己躺在骨灰盒里，也不愿念悼词。在其他非社交场合，人们的表现也是如此，很多人都会有这样的猜测：没有谁比我更不安了。我们会觉得在满屋子信心高涨的交谈者当中，挨时间的只有我们自己。实际上，并不是所有人都能游刃有余，很多人都和你有着同样的想法。

我经常做这样的假设：我所看到的其他人的自信就是他们真实的感受。然后，我又想到了自己：即使我自己并没有感觉到自信，我也会尽力营造一种自信的氛围，让他人觉得我很自信。如果我确实在这么做，那么不难推测，其他人可能也在这么做。

所以，一定要自信，至少看上去要如此。不要不好意思，因为你并不孤单。

除了心态方面，充分的准备，也可以让我们变得自信。

以前，如果在我不熟悉的城市做讲座，我会很紧张。一边穿梭于车流中，一边看着地图寻找陌生的地址，这对我的神经来说，真是极大的考验。后来，我学会了一个更好的办法。

我会在研讨会的前一天到达，然后在晚上驾车去所在地转一转，探探情况，以免第二天遭遇交通阻塞。我会选择最佳路线，找到合适的停车地点。如果是在一家宾馆，我就会进去，找到第二天将要使用的会议室。整个过程也用不了太久，但是，第二天的感觉就会完全不同。充分准备会减轻我的压力感。

可以说，充分准备是让交谈更为顺利的最简单的方式，预先思考的越多，你就越自信。

不管你处在何种水平，都有进步的空间。坚持下去，时间长了，你就会养成事先充分思考和准备的习惯。

## 永远对他人充满好奇

罗马诗人贺拉斯曾说过，“当我们对他人感兴趣时，他人才会对我们感兴趣。”

美国成功学导师卡耐基也说过，“与其花两年的时间让他人对你感兴趣，不如花两个月的时间真正对他人感兴趣，这样会给你带来更多的朋友。”

很多关于沟通力的书籍都告诉读者要自信，要努力表现出对他人的兴趣。如果你只是尽力让自己看上去更友好，那么结果可想而知。改变只能由内而外产生，你只有真心对他人和世界充满好奇，才会真正达到预期的结果。

对于外在世界，我们要充满期待地去探索。这里涉及两个概念：探索和充满期待。探索是本书所有讨论内容的基础——弄清楚自己手中的工具，学会如何使用这些工具，用这些工具发现和他人的共同兴趣，拓展新的交谈领域。充满期待的意思是期望这场让人兴奋的旅程。如果你是刚开始学习这些技巧，可能很难想象整个旅程有多么刺激。这就像学习一项运动，随着能力的增长，过程也会变得越来越有趣。成功不会一夜之间就实现，整套技巧需要一定的时间才能掌握，但是，只要一步步坚持下去，一切就容易了。

千万不要畏难，也不要在心里把整个过程的困难夸大。交谈就像其他任何你不会、但又值得去学的技巧一样，当你在学习曲线的最低端时，整个过程看着似乎很难。但是，只要逐步探索，锻炼自己的新技能，你最终一定可以跟所有人都聊得来。

不管任何学习过程，跟踪自己的每一步学习都很有用。将每一步记录下来，可以让你切实感受到自己的进步。这样你就可以关注自己走过的路，而不是忧虑地看着面前需要走的路了。这样，自信心自然就会建立。

## 学会从他人的思维角度出发

金克拉说过，如果你能够帮助他人、满足他人所需，在这个过程中你的需要也会得到满足。如果你只在意自己的表现，你就无法感受健康和谐的人际关系带给你的满足感。

当你身处某社交场合的时候，你会犹豫：自己要不要接近某人，开始交谈呢？这个时候仔细听一听内心深处的声音。你很可能会发现，你在猜测如果接近对方，他们会怎么想。如果你觉得他们对你的接近没有好感，问问自己，为何会有这样的猜测。是因为自己的肢体语言或面部表情，还是因为自己的恐惧，总以为对方会有消极的回应？

问问自己："如果接近对方，最糟糕的结果是什么？"然后尝试一下，看看事实是否和你的假设相吻合。多数情况下，结果都会让你非常意外，非常惊喜。

交谈之后，一定要对比一下你的假设和现实情况。你会发现，当你因为真正感兴趣而接近对方时，多数时候对方的回应都是积极的。

话题也要积极向上，如果对方感觉和你交谈很有趣，下次见面时，脑海中对你的积极印象就会出现。你要做的就是放松，享受这个过程。

为偶然的会面做好准备。你不可能总是那个开启交谈的人，有时候，他人也会主动接近你。抓住这样的机会，练习你所学的内容。你永远都不会知道，这些"偶然"的联系会对你的未来产生怎样的影响。

## 没有谁天生就是沟通达人

我们的孩子很小的时候会学习骑自行车，一开始，他们需要辅助轮，虽然很害怕，但是时间长了，就可以非常熟练地沿着车道前行了。慢慢地，平衡感会形成，辅助轮就可以去掉了。但是，这并不代表我们可以差遣孩子骑着单车去五英里之外的地方办事儿了，他们还要继续在车道上练习，培养自信心。然后，练习范围可以扩展到自己家车道和邻居家车道之间，在这个过程中，他们会学着注意来往的车辆，观察潜在的危险。获允在小区内骑着自行车自由穿行，那是最后一步，也是最值得高兴的一步。

之后他们并不怎么经常骑自行车，但是，所学的基本技能却转化为了驾车的能力。他们能够游刃有余地穿梭于城市之中，寻找自己需要的地点，在这个过程中，他们体会到了熟稔那些技能所带给他们的自在感。

没有谁天生就是经验丰富的骑行者，也没有谁天生就是“沟通达人”。我们需要做的是慢慢开始，熟悉我们手中的新工具，时间长了，自信感会日益增强。

生活中任何人都无法避免和他人交谈，因此，我们有理由做好准备，让自己逐步变成一个擅长交谈的人。经过有意识的练习，你慢慢会享受人际交往的乐趣，并且会对新的交往充满期待。你会发现，这段旅程将持续终生，将改变你的生活——也会给他人的生活带来影响！

在本书中，我们会给读者提供旅途中需要的“工具”，你会对以下问题有所了解：

- 如何了解真实的自己，找到适合自己的沟通技巧。
- 如何深入倾听他人。
- 如何有效地提问。
- 如何将压力转化为创造性能量。
- 如何恰到好处地结束一次交谈。
- 如何应对比较棘手的局面。
- 如何应对移动互联时代的沟通问题。

# 坚持自己的个性，交谈才会更有趣

人与人的差异越多，谈话的内容就会越丰富。差异性让交谈双方有了新的话题可以探索，因此，人际关系就更容易朝新的方向发展。

## 为什么只有我一个人这样

我记得小时候看过一部动画片，虽然已经不记得那个时候我有多大，但是，动画片的一些情景至今仍然很清晰：有个人有一支魔术棒，这个人拿着魔术棒随便一指，就能变出自己想要的东西。于是，我也砍下来一根树枝，好像还是父母种植的杏树，希望也能和动画片里一样神奇。

那个时候自己想要的东西太多了。玩具、零花钱、名气可能是最想要的了。不过，我至今仍记得，除此之外，我还想要别的：当时我拿着树枝敲了敲自己的脑袋，说道，“我希望我不要这么少言寡语。”

我觉得那个时候的我并不算内向，可是，我感觉周围的人确实都比我更善言谈。在和朋友交谈时，我会暗暗分析，为什么交谈对他们来说这么容易呢？当我加入其中时，我总是忍不住担心，思前想后，不知道给大家留下了什么印象。最害怕的莫过于说错话，遭他们嘲笑了。

读高中的时候，我已经总结了一些社交方面的必备技巧，可还是觉得整个过程很不自然。高一的时候，我在食堂里遇到了杰克，我刚好站在他的身后。他当时读毕业班，在学校非常有名——橄榄球队的四分卫。我一直都知道他，但是，从来没有想过能和他说上话。可是，那天，他突然转过身，对我说："嗨，你好呀。"我现在还记得当时我是多么震惊，居然一时语塞，就这样尴尬地过了几秒，他接着说，"你是害羞，还是？"我胡乱地说了些什么，我自己都不记得了。在接下来的几天里，失败一直萦绕在我的心里。

我很不喜欢当时的自己，觉得很不公平，为什么只有我一人这样呢？我真的想做出改变，我想要成为一个外向的人。

我想要那根神奇的魔术棒。

多年后，我终于找到了。不过，这和我之前想象的完全不同。

## 每个人都是独一无二的

置身人群当中，我们总是更容易找到和自己相像的人，并被这样的人吸引。而且，和这种人相处相对容易，也更让人舒适，因为我们可以很快找到彼此的共同点。如果我们身边的人和自己截然不同，人际关系就没那么容易了，不管事实是否如此，至少我们是这样想的。

如果大家都彼此相似，那生活就太没趣味了。想一想吧，我们每个人都有很多优点和独特性，世界的丰富多彩恰恰来源于此。

**（1）每个人都是独一无二的。**

世界上没有完全相同的两片雪花，也没有完全相同的两个指纹，同样，我们每个人的身体特征及性格特点也各不相同。我们并非从一个模板或一条流水线上生产出的产品。每个人都是身体、精神、情感及心理的独特组合，和其他任何人都不相同。每个人都是独一无二的艺术品，都有着不同于他人的使命。

上天造就每个人时，赋予了每个人不同的身体特征和性格特点。设计就意味着功能，也就是说，我们每个人表现出的独一无二说明了每个人有着不同于他人的功能。没有谁和你一样，如果你能够按照自己的独特之处发挥作用，那么你必定是做得最好的。

**（2）生活因差异而精彩。**

祖父非常喜欢橘子酱，吃吐司、松饼、煎饼都离不开它。所以，家里日复一日就只有橘子酱。

可是，爸爸就不一样了，他在壁橱里放了各式各样的果酱和果冻，今天吃吐司，他可能会蘸着草莓酱，明天或许就是樱桃酱了，再过两天又成了葡萄酱。不过，我发现，他的果酱中唯独没有橘子酱，我有些不解，向他请教，他的回答非常简单：“因为总是吃橘子酱太无趣了。”

差异性丰富了生活本身。现在回顾一下我的生活，不难发现，多数时候都是四平八稳的，我也因此觉得安心，我喜欢这样的感觉，也希望以后能够继续。可是，最难忘的回忆却是那些让我倍感考验的时刻，这样的时刻充满了挑战，与众不同。或许当时我并不觉得多么美好，可是，在个人生活中，它们却是最为有趣的组成部分。

我们中很多人都有过艰难的跋涉经历，或是驾车穿越广漠无边的沙漠，或是在暴风雨中奋力前行，或是在蜿蜒曲折的山间道路长途跋涉。不管何时，只要可能，我们中多数人都会选择平坦的高速公路——不过，过于平坦的道路容易让人困倦，而在暴风雨的途中开车却很少有这种情况发生，因为我们的感官系统在紧张待命，我们心里非常清楚这个时候集中注意力是多么关键。到达目的地之后，我们会把哪段经历反复诉说——是平静无奇的高速公路旅程，还是暴风雨中惊险无比的山路旅程?

我相信，上天造人时故意让每个人都与众不同。生活的丰富多彩恰恰是来自于这些差异。

**（3） 差异性让交谈更有趣。**

开始交谈时，多数人都会寻找共同话题。因为相似之处越多，交谈就更为容易。

这个听起来确实符合逻辑，不是吗？开始交谈时或许确实如此，不过这样不用太久，交谈双方就会觉得没意思了。如果我们彼此一致，那岂不成了和自己谈话?

人与人的差异越多，谈话的内容就会越丰富。差异性让交谈双方有了新的话题可以探索，因此，人际关系就更容易朝新的方向发展。

##  何谓内向，何谓外向？

我们通常把那些交谈有困难的人称为“内向型”。而那些一分钟就能说一箩筐，很难停下来倾听对方的人，我们可能会称之为“外向型”。

其实，事实并非如此。我们需要重新定义一下概念。

“内向型”是指那些通过独处就可以获得能量的人。他们并不一定很害羞，但是，在和一群人相处之后，他们更需要个人的空间。他们倾向于在内心里自我反思，而不是和他人一起交流自己的想法。可能在集体讨论时他们不太容易参与其中，但是，之后他们会独自把问题思考一遍。通常情况下，他们的最终结论都是很可靠的，而且是经过深思熟虑的，当然，这样的结论有时需要更长的时间来酝酿和总结。他们并不是不善言谈，只是倾向于先思考再开口。

在人际沟通方面，内向型性格的人通常会在以下方面纠结：

- 不知道别人如何看待自己。
- 不知道如何才能表达妥当。
- 说话时会结结巴巴。
- 不知道如何开启交谈。

“外向型”是指那些通过群体交流获得能量的人。他们倾向于通过交谈来思考。人越多，他们越是活跃。交谈中，他们通常都能够最好地表达自己的观点。他们反应敏捷，不会因为人多势众而恐慌。可能一开始的结论略显浅薄，不过，他们会意识到这不过是整个过程的一部分，最后会有更好的结论。

外向型性格的人通常会在“倾听”方面存在问题，他们会在以下方面有所纠结：

- 为什么大家有时候不赞同自己的观点。
- 感觉交谈很无聊。
- 为什么身边有些人看着很不安。
- 难以理解少言寡语的人。

##  内向让交谈更有深度，外向则更具行动力

内向型性格的人往往会羡慕外向型性格的人，羡慕他们可以快速且容易地进入交谈。但是，他们只注意到了外向型性格的一个方面。同样，外向型的人可能也会不理解：为什么他们侃侃而谈，听者的眼睛有时却呆滞无神呢？

不管是外向型还是内向型，他们的独特之处对于人际关系来说都很关键。内向型让交谈更有深度，而外向型则更具行动力。如果交谈中没有内向型的人参与，那么最终的结论就可能欠成熟，执行的时候惨遭失败。同样，如果交谈中没有外向型的人参与，你最终得到的可能只有周密设计但永远没有付诸实践的计划。

我们越是想要模仿他人，放弃自己本来的样子，越容易感到沮丧。问题并不在于我们的性格类型——从性格类型中我们可以获得和他人合作共

处的能力。我们越是想要成为他人，自己的独特性越容易丧失。如果性格特征让我们感觉不安，那是因为我们没有充分利用自己的优势，只将注意力放在和他人的比较之上。

要想人际沟通更有成效，就要具备两个基本的事实：

- 了解并接受自己。
- 了解并接受对方。

如果具备以上两点，人际沟通中的很多问题就都迎刃而解了，因为这个时候的我们是作为一个整体在交谈，而不仅仅是为了取悦对方，给对方留一个好的印象。

## 走向沟通达人之路

约翰很想有个家。可是，单凭着每个月的薪水，这个愿望几乎没有可能实现，因为每次不到月底他就捉襟见肘了。他期望一切都有所改观，但似乎深陷困境无法脱身。每周他都买五张彩票，指望着梦想能从这里成真。从统计学角度来说，这个机会几乎可以忽略不计。然而，他却把所有困难的解决都押在了这种一蹴而就的侥幸之上。

我让一位做会计的朋友史蒂夫替我算了笔账——我想知道如果约翰没有买彩票，而是拿这笔钱做了投资，结果会怎么样？假如说，他每周投资5美元，利率为5%，四十年后，每周的5美元就成了33000美元。也就是说，如果不买彩票，可以不像大多数人那样指望着彩票，他就可以挣更多的钱，而这是侥幸无法带来的。

我们没有办法改变最根本的性格，因为这完全在我们的控制范围之外。想要重新塑造性格，就好比指望一个一蹴而就的办法，最终能够收获的也只有沮丧。我相信，肯定有比一蹴而就更好的方式。

关键在于更细致地了解你的独特之处，接受并享受这种独特之处。

一旦我们认识到自己的独特性，知道独特性的价值所在，我们就可以将之作为起点来提升我们的沟通能力了。在这样的基础之上，我们和他人交谈时会更坦诚，而不是特地用某种虚伪的方式试图“理解”和“被理解”了。

没有什么一蹴而就的方式，可以让一个人一夜之间就成为沟通达人。不过，通读本书，你会找到一种适合自己的计划，一步一个脚印儿地朝着这个目标前行。

沟通达人之路是一个永不停歇的漫漫长路，其基础恰恰在于我们独一无二的美。

**施展魔法**

你的独一无二以及周围人的独一无二会打开通往沟通力的大门。

“赞美自己的独一无二”是我们建立良好的人际关系以及与他人交谈的最有力工具。

当我们将注意力集中在真实的自我而非模仿他人时，结果就会不可思议。

# 你真的了解自己吗

有些人非常肯定自己属于外向型，有些人则发现自己是绝对的内向型。然而，多数人却发现他们似乎介于两者之间，是两种性格的结合。

## 我们身处的外向型社会

我的女婿布莱恩非常爱热闹，喜欢被众人环绕的感觉，如果运动场上挤满了人，或者屋子里人声嘈杂，再或者是人头攒动的派对，看到这样的情景，他的兴奋就会难以言表。对他来说，唯一的遗憾就是人太多，他无法和每个人一一交流。

《星球大战》续集首映的时候，他在好莱坞耗了一整天，不为别的，就想感受一下那种热烈的氛围。不管是哪部电影，首映永远是他的不二选择，因为首映那天电影院里肯定是座无虚席。

而我则完全相反，总是等到电影放映的最后一天才去看——偌大的影院稀稀拉拉几个人，我很享受这样的安静。有那么几次，整个电影院就我一人，这是难得的奢侈。碰到这样的场合，我会觉得自己像是中了头彩！如果放映中有人姗姗来迟，打破了这份安静，我就觉得他们像是偷走了我的宝物一般。

所以，我和布莱恩很少一起去看电影……

我真的很难理解为什么有人喜欢嘈杂的人群，我知道，布莱恩肯定也会觉得奇怪：为什么有人能忍受得了一片死寂呢？

有这样困惑的人很可能会产生以下两种观点：

“我肯定哪里有问题。”

“你肯定哪里有问题。”

持有第一种观点的人是典型的内向型，持有第二种观点的是典型的外向型。

我们所处的社会是一个外向型的社会，虽然不能说是绝对的外向型，但我们听到的言语多数都是外向型的人发表的，因为这类人群说得更多；我们耳边也总充斥着各类信息，暗示更有力、更直接、更有效的交流的必要性。

随便走进一家书店，你都会看到书架上很多自助类的书，旨在告诉人们如何更为外向。这些书都是谁写的呢？当然是外向型的人。他们提供的各种方法更适合于谁呢？当然也是外向型的人。然而，经常买这类书的是哪些人呢？答案是，内向型的人。

这类心理自助书籍通常会列很多建议，告诉读者掌握的技巧越多，表现就会越好。可是，如果书中的建议和你的个性不相称，那么你最终只会收获沮丧。这个时候，内向型的人就会认为问题不在于建议本身，是他们自身的问题——他们会觉得自己很失败。

因此，一开始需要做的并不是尝试各种技巧，而是了解自己的个性。然后，找到和自己的性格、脾气相称的建议，这才是有效沟通的坚实基础。

## 几种流行的性格分类法

今天，性格测试非常流行，几乎涉猎了我们生活的每个角落：

- 企业单位使用人格量表为自己筛选合适的员工，并且为其安排合适的工作岗位。
- 咨询师使用人格量表帮助咨询者了解人际关系问题及情感问题。
- 个人使用人格量表了解自己为何以某种方式生活。

性格研究也因此成为当下的显学，研究人员总是在公布各种新的测试成果。我们这儿只需介绍几个人们最常使用的分类法，其中之一就是迈尔斯－布里格性格的分类法（the Myers-Briggs Type Inventory），这一方法出现于20世纪早期，至今仍在使用。该方法给出了一个连续的网格结构，呈现出四种不同的性格类型：

● “外向”与“内向”（从他人那里获得能量VS从独处中获得能量）。

●“直觉”与“感觉”（惯于通过五官感受世界VS着重于可能性及预感）。

● “思考”与“情感”（通过逻辑分析做出决定VS通过内心做决定）。

● “理解”与“判断”（辨认出某种花VS觉得将这种花放在某处会更好看）。

美国学者罗杰·冯·奥奇（Roger Von Oech）的分类法也较为流行，他将人的性格分成了四类：

● 探索家（喜爱发现新观点）。

● 艺术家（将这些观点塑造成可操作的建议）。

● 法官（分析观点，判断是否可行）。

● 战士（关注将观点付诸实践）。

奥奇认为，“探索家”和“艺术家”倾向于使用右脑，更具创造力，而“法官”和“战士”则更多地使用左脑，善于分析。四种类型都很重要：

● 没有“探索家”就不可能有新的观点。

- 没有“艺术家”就无法赋予观点完整的框架，观点就无法付诸实践。
- 没有“法官”，付诸实践的观点就会缺少严密的监督，最终只会失败。
- 没有“战士”，你拥有的只是观点，永远不会付诸行动。

两性关系专家约翰·特伦特（John Trent）对于性格的划分则更易于使用，他从动物界选择了四种不同的动物：

- 狮子：动物界的领导者，很容易掌控一切并做出决定。他们目标性明确，但是，率直的性格很难考虑到他人的面子问题。
- 海狸：组织有序，会花时间将一切处理得井然有序。他们按规矩办事，可能是完美主义者，会不切实际地期望他人与自己一样。
- 水獭：外向，健谈，和他人关系融洽。他们有很多朋友，但是深交的不多。就社交场合而言，他们往往缺乏纪律，喜欢顺势而为。
- 金毛猎犬：对于人际关系有积极影响。他们有几个关系十分紧密的朋友，朋友的陪伴会让其安心。他们非常需要他人的鼓励，且容易优柔寡断。

以上只是众多性格分类方法中的几种，每一种都有其优点所在，不管深入研究哪一种，你都可以从中获得有价值的信息，帮助你更好地认识性格。

由于本书主要探讨人际沟通，因此，我们主要关注以下两种类型：

- 内向型（独处时获得能量）。
- 外向型（和他人相处时获得能量）。

其他的分类观点也有其价值，不过，这种简单的二分法有助于多数人快速识别自己的性格类型。对这两种类型有了清晰的认识，那么进一步了解其他分类方法就会更容易了。

## 性格小测试

有些人非常肯定自己属于外向型，有些人则发现自己是绝对的内向型。然而，多数人却发现他们似乎介于两者之间，是两种性格的结合。现在我们就来看看你在这种分类中处在何种位置。

阅读以下问题，从 a、b、c 中选出最适合自己的选项。你可能会发现三个选项都不合适，或者合适的不止一项，这种情况下，选出相对来说更适合自己的即可。

1 人们经常会用下列哪个词语描述你：

a 善于分析

b 遵守纪律

c 有创造力

2 一连几天参与社交活动（比如，参加一个为期几天的会议）之后，你会：

a 精力充沛，重新开始日常活动

b 和之前没什么两样，继续日常活动

c 很想“蒙头大睡”，无法将注意力集中到第二天要做的事上

3 你喜欢人们在你家待多久：

a 时间不定

b 一周

c 几天

4 有事情需要做时，你会：

a 立刻付诸行动

b 采取行动前先看说明书

c 拖延

5 在小组中或社交场合度过很长一段时间之后，你会：

a 比之前更加精力充沛

b 和之前几乎一样

c 感觉精疲力尽

6 和他人说话的时候，你：

a 更在意他人说了什么，而不是在意他人的感受

b 能感觉到隐藏在表面之下的意思，不过，你的注意力更多地在交谈本身

c 总能感觉到对方的感受,知道他们在想些什么(透过他们说的话)

7 如果买到不合适的东西，你会：

a 立刻拿回商店

b 真的不喜欢将东西拿回到商店，不过，如果恰好有机会，你会带过去

c 一直保存着

8 晚上如果没事，你会：

a 打电话给朋友，和大家一起出去

b 邀请几位要好的朋友到你这里来

c 一个人待着，看本好书或者好的录像

9 如果参加社交活动感觉很棒，你会：

a 真希望活动不要结束，通常是最后一个离开的

b 很享受整个过程，其他人离开的话，你也会一起离开

c 虽然很喜欢，但还是希望活动快点儿结束

10 说到朋友，你觉得：

a 多多益善

b 普通朋友可以很多，还要有几个要好的

c 有几个深交的就行

11 人们会如何评价你的交谈技巧：

a 他们会说“能说会道”

b 他们觉得和你在一起很舒心

c 他们觉得你是个很好的倾听者

12 如果有人问你对某事有什么看法，你会说：

a 太棒了，这恰恰是我在思考的

b 挺有趣，我想听你再说说……

c 好问题，我来想想，给我几天的时间，然后我发邮件给你

13 你最喜欢的交流方式是：

a 电话交流

b 面对面交流

c 邮件交流

14 忙于非常细致的工作或任务时，你会：

a 立刻投入，然后一直忙到结束

b 先解决比较棘手的部分，然后休息一下，重新整合，然后再计划下一步

c 将工作或任务分成几部分，以免不堪重负

15 参加会议时，你会：

a 公开你的观点，和大家分享

b 更多地思考，偶尔说一下你的观点

c 仔细听他人的观点，不发表自己的观点，等会议之后再总结出自己的想法

16 如果看到有人在饭店里兀自歌唱，你会：

a 感到抱歉，想陪着他们一起唱

b 不知道他们为什么这样，但是，也不太想弄明白原因

c 猜想他们很喜欢这样，不想和他人交流

17 如果置身拥挤吵闹的会议或其他场合，你会：

a 很激动，想尽可能地多认识人

b 随便和这个人聊聊，然后再和那个人聊聊

c 和一至两位你感觉比较“安全”的人深入交流，偶尔会走到一边，寻找一点“个人”空间

18 如果和朋友一起共进晚餐，你会：

a 喊一大群人，找一个人声鼎沸的饭店，甚至彼此交流都要大声喊才可以

b 选择和几个朋友一起，找一个家庭式的饭店，虽然食客也不少，但不那么吵

c 和一两个好友一起，找一家安静的饭店，彼此可以好好聊聊

19 如果在自己的车里，想要寻找一个地址，你会：

a 一边想着其他事情，一边很容易地找到目的地

b 找到方向时，你会大声说出来

c 把广播声音调小，这样就能够专心思考了

20 发现所乘坐的飞机或火车没有其他乘客时，你会：

a 失望

b 没什么感觉

c 很放松

如果选择 a，每道题目得 3 分，如果选择 b，每道题目得 2 分，选择 c，每道题目得 1 分。算出总分，

看看自己属于以下哪一类：

46-60：

基本可以断定你是外向型。你就像太阳能电池板一样，和他人在一起时你会获得能量，而且在集体环境中你会非常兴奋。你不害怕与他人分享自己的观点，你会迅速作出反应。意味着在交谈中你很自如，并且通过和他人的谈话可以形成自己的观点。在你看来，朋友多多益善。交谈比书写更为自然，如果收到了他人的邮件，你会拿起电话直接和对方聊一聊而不是回信。一般而言，你的思想允许你同时做几件事。

31-45：

因为具体情况不同，你会表现出不同的性格特征，有时内向型，有时外向型。如果在社交场合待得太久，即使再愉悦，你也会感觉很疲惫，之后你需要一段独处时间来调整自我。而精力恢复之后，如果没有人可以交谈，你又会觉得焦躁不安。就这样，循环往复，直到再次出现社交时间过长为止。这个时候，你发现自己又一次需要从中脱身。在和他人的交谈中

思考问题并不困难，但是，你总是在交谈之后一个人时才能够真正理清自己的思路。你需要完全不同的两个世界（外向型和内向型），只有在两者中交替，你才能真正找到自我，获得恢复。

20-30：

基本可以断定你是内向型。可能你并不害羞，但是，社交场合持续得越长，你就越觉得疲惫。你非常需要独处的时间，就像一块充电电池一样，利用独处再次给自己充电。相比较一些泛泛之交，你更喜欢和三五知己在一起聊天。在多数的交谈当中，你都会语塞，等交谈结束好一会儿了，你才想起来当时该怎么表达。这是因为你喜欢独自一人，安安静静的时候梳理思路。你是个很好的倾听者，因为你喜欢深入思考问题，注意力能够高度集中于一件事。如果有人给你留语音邮件，你很可能以写信的方式回复对方，因为这样你更容易将自己的想法表达清楚。

## 草坪总是人家的好

邻居家的草坪看着总是比我们的草坪好很多。我每次看我们的草坪，都会发现各种小问题，死角啊，杂草啊，等等。看着邻居家近乎完美的草坪，我很想知道他到底用了什么方法打理，是土壤比我们家好，还是用了更好的肥料，还是别的什么呢？说实话，一眼望过去，一个街区内就数我们家的草坪差了。

然而，有一天，当我站在邻居家的草坪上时，我看到了和以前不一样的景色。原来，他们家草坪也有死角，也有杂草。回头看看我们家的草坪，我发现，从这个角度看也是完美无缺的。从上到下俯视，所有的瑕疵都尽收眼底。而从远处看，这些瑕疵又都不见了踪影，你会觉得一切都是那么完美。

这完全是看问题的角度所至。

人的性格也是一样。当我们置身自我时，我们看到的都是各种缺点——也就是我们想要做出改变的地方。而我们眼中的其他人就完全不同了，他们用不同的方式交流，看着是那么舒适，游刃有余。因此我们很容易希望自己变成别人的模样，其实，我们看到的是别人性格中比较好的部分，而看我们自己时，我们的注意力却集中在了杂草和死角等瑕疵上。

要想拥有一块完美的草坪，正确的方法是测试分析土壤条件，选择适合的草种。如果直接把他人的草种种植在自己的草坪上，草坪肯定变得凹凸不平。

人际沟通的技能也是如此。关键在于不要模仿他人，而是自我学习和成长。一旦我们接受了自己不同于他人的地方，我们就可以最大限度地利用这一点。我们可以选择正确的沟通技巧，选择合适自己的社交场合，和他人有效、惬意地交谈。

不要老是这山望着那山高，总是觉得篱笆外的草坪看着更绿。只要我们花时间打理我们拥有的一切，总有一天，我们的草坪也会尽善尽美。

# 为什么听不懂，为什么说不清

每个人都有不同的背景，不同的思维模式，也就有着不同的“词语过滤器”。同一个词语，通过不同的过滤器之后就会有不同的意义，这就为有效的交谈设置了障碍。

## 词语过滤器是如何形成的

和他人交谈听起来是一个非常直接的过程：一个人说，另一个人听，然后两个人互换角色，几次之后，交谈结束。每个人都能够理解对方的意思，而且也感觉对方明白了自己的意思。不就是这样吗？

可是，你所说的，真的是你自己想表达的吗？而你所听到的，又是对方真正想表达的吗？

这句话可能有点绕，设想一下，如果有一种数字传输手段，可以将我脑海中的想法以同样的形式直接传送到你的脑海里，岂不是很美好？

当然了，这只是假设，我们没有办法做到这一点，可以使用的只有词语。我们可以口头传输，也可以笔头传输，这就是人与人沟通的媒介。

到此为止，听着也还是不错，对不对？

可是，问题出现了：我们对于同一个词语未必有同样的理解。我选择的词语经过了一系列过滤器的筛选，比如：**语言背景、文化背景、教育背景、社会地位。**

因此，一些看似没有感情色彩的词语，对我们来说就有了某些特殊意义。而当你听到这些词语的时候，你也会经过一系列的过滤，然后才最终理解其含义。你看，我使用某个词语表达某个含义，虽然你听到的是同一个词，可是，你的理解就可能完全不同。

比如，我可能会说，“今天很热”。我在菲尼克斯（美国亚利桑那州）沙漠地区长大，因此，和一个来自阿拉斯加州的人相比，“热”对于我们就有了不同的含义。如果这个人来自乔治亚州，那么他 / 她的理解（他 / 她对于热的理解可能多了潮湿这层含义）又会不一样。

每个人都有不同的背景，不同的思维模式，也就有着不同的“过滤器”。

同一个词语，通过不同的过滤器之后就会有不同的意义，这就为有效的交谈设置了障碍。所以，了解这些过滤器，对于提升我们的沟通能力有很大帮助。

##  思维模式决定行为模式

有一句流行的话，“我们相信什么，世界就是什么”。的确如此，我们的思维模式决定了我们的行为模式。如果我们觉得某种食物味道不怎么样，我们就不会吃。这种想法正确与否不好说，但是，有一点很确定：它会成为一种“过滤器”，直接影响我们的行为。

琳达是某部门新上任的经理，前任经理告诉她说，这个部门的人一个个本事不大毛病不小。因此，从琳达就职的那天起，她就对自己的下属有了偏见，她的“过滤器”告诉她，这些人都很平庸。在这种思维模式的指导下，她还能怎么做？——事无巨细，管头管脚。这样的行为又会带来怎样的结果呢？——大家沮丧不堪，表现很差，甚至对她的指令阳奉阴违。

看到这些，琳达更加坚定了自己的想法：这些人就是不行。这种恶性

循环甚至让她滋生了怨愤。就这样，她的“过滤器”逐渐变成了成了部门工作的障碍。

如果琳达试着改变一下她的“过滤器”会怎么样呢？她或许会这么想：“这些人可能之前确实不够努力，但是，如果有人相信他们，鼓励他们，情形就会大不相同。”新的“过滤器”解除了琳达内心的障碍，她的行为会反映出她对于员工的信任，她会肯定员工的技术和优点。鼓励的结果就是团队越来越强，表现越来越好。

## 拆掉思维里的墙

当我们不理解他人的观点时，我们会做出各种假设，猜测对方在想什么。而且，一旦做了猜测，我们就会错误地将其当作事实，进而以此为根据采取行动，而实际上，你的根据根本就不是事实。

我们可能会对自己说：

- “别人都自信满满，偏偏我不是。”
- “要想交谈顺利，就得让别人喜欢我。”
- “一定要掌控谈话。”
- “我如此少言寡语，根本无法顺利交谈。”
- “得准备很多话题才行。”

一旦这些障碍成了我们自言自语的主要内容，那我们就离失败不远了。我们深信自言自语的内容，而且会根据这些假设采取行动。因此，关键在于认识到自言自语的内容，然后重新审视这些内容，重新做出调整——

**之前的想法：** 别人都自信满满，偏偏我不是。

**现在的想法：** 我确实不知道他们在想些什么，可能他们并没有看上去那么安适。

只要两人交谈，不管何时何地，要做到有效，就必须付出努力。想让自己看起来很自信是人性使然，因此，多数人都会尽可能让自己看上去更加平静，而实际上他们的内心并非如此。还记得游泳的鸭子吗？——在水面上游泳的鸭子看着非常安适，平稳地往前滑行，而水面之下，它却在拼命滑动双脚，一刻不停。其实，交谈也是一样的。

如果我们总觉得只有自己在交谈中浑身不自在，压力感也就在所难免了，这样的话，还怎么有好的表现呢？我们总觉得交谈成功与否在于我们自己，其实不然，交谈和婚姻一样，都需要双方做出努力才能成功。

**之前的想法：** 要想交谈顺利，就得让别人喜欢我。

**现在的想法：** 别人怎么想不是我的责任，我只要做自己就行。

记得我和妻子进行婚前咨询的时候，咨询师就提醒过我们，任何时候都不要说“你让我很生气”之类的话，因为这种说法不对。生气与否是我们自己的选择。我说了什么，做了什么，都可能导致妻子生气，但是，她也可以选择其他的反应。我只对自己的选择负责，他人有怎样的反应是他们自己的选择。

在交谈中，我们应该努力关注的是做自己，我没有办法让其他人喜欢我，但是，如果我能够做真实的自己，对方就有机会回应这个“真实的自己”。如果他 / 她的回应并不是我所希望的，并不能说明我就是一个坏人。这只能说明他 / 她做出了属于自己的选择，对此我无法控制。我越是想要控制他人，就会觉得越沮丧。

**之前的想法**：一定要掌控谈话。

**现在的想法**：交谈的方向由交谈的双方共同负责。

我们无法保证每次交谈都是有效的，且让双方感觉自如。但是，如果交谈不顺，我们也无法为失败承担责任。交谈需要至少两个人才能进行，同样，交谈的结果也绝非哪一个人可以决定。

这就像下国际跳棋，可能彼此的水平不同，但是，最终的结果并非由哪一个人决定。一开始的时候，谁也不知道每一步该怎么走，因为这要看对手怎么走。整个过程是一个动态的过程，只有双方充分发挥自己的水平，这个过程才会有趣。

不过，国际跳棋和交谈又有不同之处。下国际跳棋，有赢有输，但是，交谈的目标是共赢。

**之前的想法**：我如此少言寡语，根本无法顺利交谈。

**现在的想法**：我要了解适合自己性格的有效交谈技巧。

多数内向的人都会觉得，自己缺少有效交谈的必要技能，通常情况下，他们被告知，交谈所需要的都是“外向型”的技巧，其实不然，内向的人拥有属于自己的交谈技巧，充分利用这些交谈技巧，交谈一样能够顺利进行。一旦内向的人明确了自己应该在交谈中扮演怎样的角色，他们心里和外向的人“竞争”的压力就会消失，他们就可以自如地交谈了。他们可以学着利用自己独特的交谈能力，因为这是和他人进行有效交谈，且让交谈有趣的基础。

**之前的想法**：得准备很多话题才行。

**现在的想法**：我要仔细倾听对方，了解所谈的话题。

在交谈中，人们最怕的就是无话可说。开始交谈，然后让其持续一会儿并不难，可是，一旦无话可说了，交谈就会陷入沉寂，这正是我们担心的。

有人说，交谈成功与否完全取决于我们之前的准备，这么说来，如果我们事先准备了充足的话题、问题及故事，适时放入交谈中就可以了。其实，这种想法忽略了有效交谈最重要的资源之一：挖掘对方的经历，将交谈拓展到新的领域。下一章我们会详细讨论这一点。

我们要改变自己的角色，从“内容提供者”变为“内容开拓者”。只有这样，犹豫和迟疑才能有效地转化为动态的、有意义的互动。

## 是时候做出选择了

杰米是一家大型国家银行的职员。在培训期间，他学到了一些客户沟通技巧。其中有一项就是关于握手，比如握手时对方的手在上方，那就说明对方想处于主动地位，相反，则说明对方期待你采取主动。此外，他还学了一些读心术，如何根据对方的身体语言做出不同的反应。

在这个过程中，杰米也很沮丧，因为他更多地将注意力放在了操控客户上，从而忽略了客户的真正需求，业绩也在慢慢下滑。于是，杰米开始怀疑所学的沟通技巧，这些经历反而成为有效沟通的障碍。

如果之前你读过一些沟通力方面的书籍，或者参加过一些沟通力培训，看到此书，你也会有所担心，担心书中的技巧会让自己不舒服。不得不说，你的担心完全正确——我是说对于贴士和技巧的担心。如果你只是胡乱选择几条，然后生搬硬套，痛苦也就在所难免了。

值得高兴的是，如果学会了根据自己的个性选择沟通技巧，那么障碍就不存在了。这就是我们的目标——为你量身打造沟通技巧，让你享受整个交谈过程。

如果之前的经历是消极的，那么在人际沟通方面只会有以下三种选择:

- 不再和他人交谈；
- 继续交谈，但感觉痛苦；
- 分析自己个性，学习人际沟通的技巧。

可能很长一段时间以来，你都在尝试前两种选择，现在是时候做出第三种选择了，只有这样你才能移除障碍，获得新的技能，实现有效的人际沟通。

# 挑战我们心中的假设

真正的交谈在第一句话之前就已经开始了。交谈双方都会通过观察对方的肢体语言、面部表情，然后解读获取的无声信息，做出各种预判和假设。然而，通常情况下，这些判断和假设都是不正确的。

## 真正的交谈在第一句话之前就开始了

记得几年前在一次研讨会上做讲座的时候，我就注意到坐在前排的一位参会人员，年龄稍大，而且一副很不感兴趣的样子。会上时不时地大声叹气，翻翻白眼，和我几乎没有什么眼神交流。这些身体语言及面部表情似乎都在告诉我，他很不想在会上待着。我当时一度猜想他是受老板逼迫来听会的。

可是，研讨会结束后，他却走到我旁边，一边跟我握手，一边说道:“谢谢您。这是我参加过的最好的研讨会了。我的人生真的会因此而改变。”

我本以为他是恭维几句，然后，他又接着说：“我负责一家跨国公司的会计业务。几个月后，我会带 45 位会计去塔尔萨（美国俄克拉荷马州东北部城市），到时候您愿意为他们做演讲，举办研讨会吗？”

从那以后，我学会了一点：做假设的时候不要那么肯定。如果一个人将手臂交叉放在胸前，他有可能不容易接近，很矜持，还有一种可能：他只是很冷而已。

很多沟通达人都有这样的共识，那就是真正的交谈在第一句话之前就已经开始了。双方都会观察对方的肢体语言、面部表情，然后解读获取的无声信息，我们以此来判断成功接近对方是否可行。如果我们觉得这些信息都是积极的，那么我们就会继续前进，同时谨慎地揣测其反应。如果我们感觉这些信息都是消极的，那么我们就会觉得对方不太感兴趣。

开始交谈之前，人们往往会有这样的疑虑和假设——

- 我们不知道应该怎样互动。
- 我们不知道一开始应该说些什么。
- 我们不知道对方是否想要和我们交谈。
- 我们不知道如何接近对方。

然而，通常情况下，这些疑虑和假设都是不正确的。我们要把自己对于观察的解读和真正观察到的分开，这一点很重要。

## 开启交谈的两种方法

要开启一次交谈，可以通过以下两种方法：

- 等待他人接近你。
- 主动接近他人。

第一种方法是内向者的典型选择，他们不愿冒险被他人拒绝，也不希望自己看起来笨笨的，因此，他们会等待对方主动接近。如果对方采取主动，内向者会觉得对方对自己有足够的兴趣，因此他们才主动接近自己。但是，这种方式存在一些固有的问题：

- 如果没有人接近，不适感会因此加强。

- 注意力只在自己身上，没有给予对方足够的关注。
- 对于结果无法把握。
- 整个过程会给双方带来潜在的痛苦。

第二种方法是外向者的常见选择。他们并不会那么在意对方如何看待自己，因此他们会迅速接近对方。他们会觉得别人和自己一样，在交谈中很自如。就刚开始交谈而言，这是比较有效的方法。

对于少言寡语的人而言，第二种方法太具压力，因此他们不会考虑。不过，他们解读的痛苦往往是来自过于肯定的假设。

## 我们心中的假设

**假设 1：我不想贸然闯入。**

我们总觉得如果贸然接近他人，对方会感觉受到了冒犯。可是，换位思考一下：别人接近我们时，我们是否经常有这样的感觉呢？若真如此，多数时候，你可能都比较感激对方，因为他们先开口，你就不用为难了。因此，如果你看到对方一个人站在那儿，说不定他 / 她很希望和你交流呢。最坏的结果无非是对方“不来电”，如果如此，你不妨优雅地结束这次交谈，然后尝试和其他人交谈。不过，这种状况并不多见。

**假设 2：他们可能不喜欢我，或者觉得我无趣。**

在这种情况下，我们会觉得自己的推测是对的。如果我们觉得自己无趣，就会认为他人有如下想法：哦，天哪，看看吧，我被这个人困住了。的确，当他人接近我们准备开启交谈时，我们会迅速形成第一印象，不过，交谈开始之后，第一印象是对是错就一目了然了。多数人都会暂且假设他人主动发起交谈是因为兴趣使然，直到有迹象可以证明这种假设有误为止。

**假设 3：他们比我更自信。**

多数人都会尽力让自己看上去更自信，更具吸引力，尽管心里很忐忑。很多时候，其实大家都并非像看上去那么自信。

不过，我们内心都渴望和他人建立联系。通过接近他人，这种需要可以直接表达出来。每个人对于交流的需要都是一样的，而且也都知道相互交流需要付出怎样的精力。

**假设 4：对方单独一个人站着，是因为他 / 她喜欢这样。**

实际上，他们和我们是一样的。有人觉得，在社交场合，人们单独站在一边，是因为他们不想和他人交流，如果真是如此，那为什么不待在家里呢？其实他们是在使用上述“方法 1”,即等待他人接近。如果你先开口，找他们交流，他们就会松口气了！

**假设 5：我不了解他们，因此，我不知道他们喜欢谈论什么。**

这么想也没什么错，不过，你要知道，这也是我们的最大优势——正是因为彼此不了解，才有很多可以谈论的话题。要继续前行，首先你要备好一些基本的探索工具，用这些工具探索新的“领土”上有哪些观点。

**假设 6：如果我们交谈不愉快，我会觉得很挫败。**

如果你这么想，那就把成功交谈的左右责任扛在了自己肩上。并非每次交谈都要多么了不起，一开始和不同的人进行交谈的时候，你会发现，有些人只能泛泛而谈，彼此的交谈内容只限于表层，无法深入；而有些就不一样，你们可以深入交谈，进一步了解彼此的生活。

交谈的目的并非向对方炫耀你有多么聪明，而是在两人之间建立起联系。交谈的结果并不只是说明你优秀与否，你的交谈技巧高明与否，同时也是对于交谈另一方的反映。正确解读相互交流的结果非常重要。

在实际操作中，其实先开口具备很大优势——你可以挑选交谈对象，不是吗？

## 我们总是按照自己的观点理解生活

人际关系中还有一个很大的障碍，那就是我们总是按照自己的观点理解生活，这会产生以下两个潜在的问题：

- 我们总觉得自己是对的，而对方是错的。
- 我们总觉得对方和我们看待事物的方式是一样的。

**（1）我们总觉得我们是对的，而对方是错的。**

这种想法很危险。如果我们坚信这一点，那么我们就会试图让对方按照我们的方式理解问题，可是，真正意义上的“沟通达人”，其目的并非改变他人的思想，而是理解他人。

戴安（我的妻子）就是个“行动派”。不管做什么事儿，她都会尽快且尽可能全面地完成。开会的时候，她会先停一下，然后便问道，“好的，我们接下来要做什么？谁来负责呢？”

而我却是个“思考派”，大家眼里的我，通常是个“点子王”。给我一个问题，不用一会儿我就能想出一堆的解决方案，而且我的方案总是与众不同。不过，我很少付诸实践，只是限于想想而已。

就在我和妻子婚后不久，彼此的不同就显现出来了，而且成为我们之间的问题所在。我觉得戴安过于用功了，需要放松一些。同样，她看到我一天到晚头脑风暴，就是不付诸行动，也很受不了。

慢慢地，我们都意识到，其实没有哪种方式是最好的，只不过大家不同而已。我们越是能够理解对方的观点，就越容易从差异中找出更好的、更有创意的解决方案。这些年来，随着理解和探索的深入，我们的关系也越来越坚固了。

**（2）我们总觉得对方和我们看待事物的方式是一样的。**

保拉喜欢热闹的派对。她本来以为在让过生日的时候，给她举办一个大大的派对，一定会让她惊喜，也是对彼此友谊的加强。可是，看到让没有丝毫的惊喜和兴奋，保拉感觉朋友根本不理解自己，因而受到了很大的伤害。

菲尔周末参加了一场婚礼，和教堂的一些人共进晚餐，然后又和家里的亲朋好友聚了聚。菲尔的一个朋友邀请他和妻子巴尔布周一晚上一起喝咖啡，除了他们，还有其他几对夫妻。菲尔想在周一晚上安安静静地休息，就婉拒了朋友的邀请，他租了电影光盘，买了些中式外卖晚餐，这个时候却发现妻子巴尔布郁郁寡欢，因为她知道菲尔拒绝了朋友的邀请，对此菲尔实在无法理解。

保拉和巴尔布都喜欢热闹，并且觉得其他人也和她们一样。让和菲尔也可以接受热闹的场合，只是这样的场合很快就会让他们感到疲惫。

这两种情况都是真实存在的。之所以出现以上情境，是因为双方性格的不同，我们只是对此描述，而不是强调休整。如果忽略了对方性格的独特性，有效交谈就会困难重重，有时甚至难以进行下去。

# 找到共同的兴趣点

单纯强调哪一个圆圈都不利于交谈的顺利进行，关键在于寻找两个圆圈的交集，两个圆圈的交集可能很小，也可能出奇的大，但无论怎样，这里都是真正交谈开始的地方。

## 交谈的三种模式

最近我们搬家了。搬家后一直没有见过邻居，因为他们的工作时间和我们的完全不同。我的妻子戴安做了些曲奇饼，准备圣诞节的时候送给邻居，她把这些饼干放到袋子里，然后加了一张卡片。我们尝试着按响了各家的门铃，可是，每一家都没人应答。因此，我们只好把曲奇饼挂在他们的门把手上，希望找到邻里之间的共同兴趣点（食物是首选，不管怎样，大家都是要吃东西的呀）。

几天后，我们家的门把手上有一袋巧克力松露，而且上面也有一张自制的卡片——很明显，这是一位邻居送的。第二天，另一位邻居差遣他们读大学的儿子给我们送来了一盒糖。原来，这家人都说日语，他们让儿子来是为了能够和我们交流。尽管邻里之间还没有见过面，但是，通过互赠礼物来表达彼此的关爱，我们之间已经建立起了联系。

在前面的章节中，我们谈到了“过滤器”是如何影响人际沟通的。我们的“过滤器”决定了我们自己在交谈中的行为。

据此，我们可以将交谈模式分为三类：

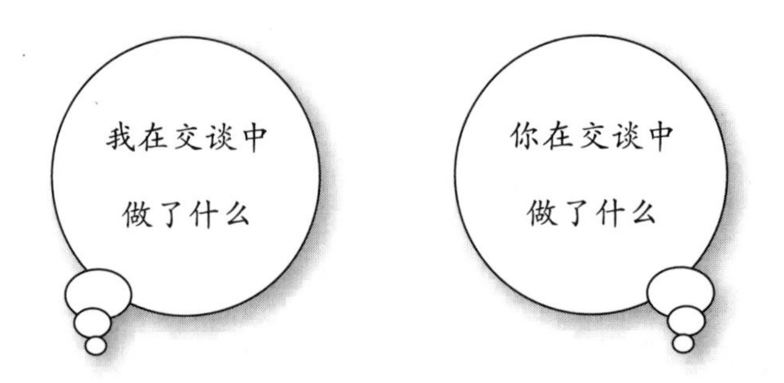


**（1）将注意力集中于左边的圆圈。**

多数想要提高自己沟通力的人都会关注左边的圆圈。他们阅读书籍和文章，想要让左边的圈圈变得更大。拥有更多的讨论话题固然是一个不错的办法。但是，如果只将注意力集中于左边的圆圈，我们就错过了人际沟通的最大资源：对方的人生阅历和思维观点。

**（2）将注意力集中于右边的圆圈。**

在《标杆人生》（*The Purpose-Driven Life*）一书中，里克·沃伦一开始就这么写道：“这与你无关。”他的观点打开了有效沟通的大门。多数人都想着用合适的方法，按合适的顺序，说出合适的内容，然后得到他们预期的回应。但是，如果只关注我们说了什么，我们就错过了人际沟通的关键要素：对方在想些什么，有什么样的感受。

如果仅仅将注意力集中于他人的想法之上，这种一边倒的情况也不利于交谈的开展。相比较而言，第三种方法才是最佳选择。

**（3）将注意力集中于“共同的兴趣点”。**

单纯强调哪一个圆圈都不利于交谈的顺利进行，关键在于寻找两个圆圈的交集——即两个圆圈相互重合的部分。

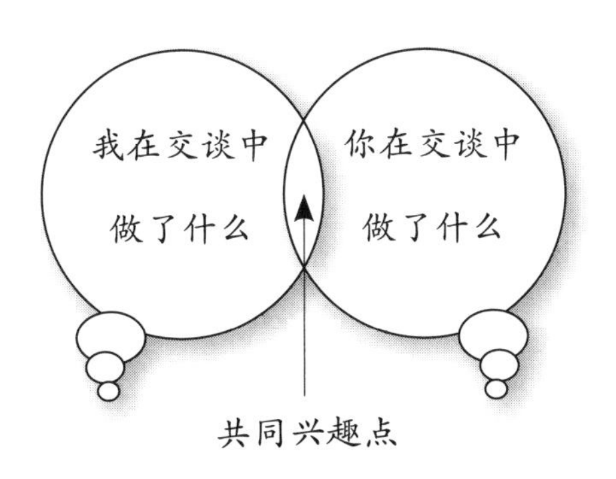


两个圆圈的交集可能很小，也可能出奇的大，但无论怎样，这里都是真正交谈开始的地方。我们没有必要抛弃自我，只要找出和对方的共同语言即可。我们可以从共同的经历和兴趣点出发，然后以此为基础，探索每个圆圈中“未知的领域”。这样,我们的观点就可以从“自我”到“对方”，最后到达“我们”了。

如果你想要了解四邻，不妨挂上“家中有人”的牌子，你也可以举办一次烧烤派对，邀请大家参与。但是，相比较而言，最简单的方法是找到本来就和你有共同兴趣点的人——即你的隔壁邻居。你们的房子相互挨着，栅栏也是连着的，你们离得最近。说不定你们当中某一家的树，叶子都会落在对方家里呢。如果你的草坪里有地鼠或杂草，对方可能也是一样。因此，有着这么多的共同点，你们之间建立关系相对来说就简单多了。

这恰恰符合探险家们的行为。他们会从自己熟悉的领域出发，然后慢慢朝着新的领域拓展。他们敏锐地关注自己的周边，每一丝动静都不放过，在已知事物的基础上继续加工处理新的信息。

注意一点，三个模式方面要循序渐进：

● 左边的圆圈（我们的观点以及我们在彼此关系中的所作所为）为右边的圆圈提供工具，便于探索右边的圆圈。

● 右边的圆圈（对方的观点以及他们在彼此关系中的所作所为）帮助我们发现彼此的共同点。

● 交集（双方观点的相似点）为交谈的展开提供了最自然的话题。

## 共同兴趣点的美好之处

接下来我们重点谈论一下第三种模式,因为这是有效沟通开始的前提。将兴趣集中于“共同的兴趣点”上，会对谈话双方有以下帮助。

**（1）会有更多可以讨论的内容。**

如果你总感觉自己是唯一要对交谈负责的那一方，那么可以放入交谈“菜谱”中的作料也就很有限了。不过，看看对方的观点，就好比打开了另一个厨房的柜子，可能这里有很多东西，这些恰恰在你的厨房柜子里找不到。也就是说，你可以做出几道出乎意料的“菜品”了。

**（2）压力可以得到缓解。**

如果只将注意力集中于自己的观点之上，我们就会不断考虑我们该如何理解对方，然而，一旦能够从对方的观点考虑问题，释然感就会油然而生。真正关注对方需要花费一定的精力，这就意味着如果将注意力集中于自己身上，这些精力是无法获得的。

**（3）交谈会更加刺激。**

少言寡语的人总是把交谈和“恐慌”、“害怕”等词语联系在一起，而不是“兴奋”、“刺激”等。如果能够把交谈的过程建立在双方的行为及思考之上，那么邂逅就会令人向往了。了解对方的经历，就如同去一个崭新的国家旅行，虽然这里的每一寸土地都很陌生，但是，你会心怀期望，因为你知道有很多可看可学的。一旦离开，你就想要回去。

多数人际关系都像玩游戏，我们听着对方说的话，判断其语气；看着他们的表情和动作，而后猜测他们在想些什么。可是，通常情况下，我们的猜测都是错的。

学着了解对方的观点，可以对交谈中的动态变化进行准确的加工。我们没有必要猜测对方的动机，其实毫不设防、开诚布公地跟对方聊一聊效果更好。

## 墨西哥磁带事件

周一，电话响起："你明天能否飞往墨西哥城，准备参加周三在那儿办的研讨会？"一般来说，我的第一反应都与相应的准备有关：安排航班和酒店，找到研讨会的地址，找到合适的联络人。可是，这一次，我首先想到的却是："他们说英语吗？"我的大脑中，只有一句西班牙语，还是从我祖母那里学来的：Cómo se llama su gato?（你的猫叫什么名字？）要是场合凑巧，这个问题还是不错的，可是，用这个来维系一天的研讨会，我就没什么把握了。

不过，有一点我很确定，参加研讨会的很多人应该都来自拉美国家，那么，他们的英语口语应该没问题。于是我定下了行程。

对方公司派了司机去机场接我，从机场到我住的酒店，开车一共花了三个小时。我本以为司机会用英语交流的，可实际上并非如此。不过，不管怎样他还是认出了我，在我到达机场后他成功地找到了我。当他举着写有我名字和航班信息的牌子出现在我的面前时，我告诉他，我就是他要接的那个人。然后，我跟着他去了停车场。我们彼此之间的语言障碍立刻突显。我用英语随意说了几句，拥挤的航站楼啊，天气啊，时间啊，等等。而他唯一能做的就是微笑着挥挥手，示意我他不懂英语，我也笑了笑，用同样的方式回应了一下。很明显，接下来三个小时的路程只能是沉默了。

司机听不明白的时候，我发现我的声音会抬高，而且语速会变慢，我总觉得这样就会好一些。但是，不管怎样我们也绕不开一个事实：他不懂我的语言，我也不懂他的语言。不管我做什么，也改变不了这一点。

多数时候，我们只是彼此笑一笑。虽然无法理解对方的语言，但是我们可以给对方一个微笑。不管怎样，微笑可以成为联系彼此的一个纽带。他开车的时候，我们慢慢接受了语言障碍，并尝试着其他的交流方式。突然，他想起了放在车内储物箱的东西，从这一刻开始，我们的交流有了很大的转机。我看到他笨拙地在储物箱里摸索着，然后拿出了一摞卡式录音带，并从中抽出了一盒。他的脸上绽放着微笑，拿着那盒录音带给我看——上面用蓝色的记号笔写着“美国音乐”几个字。我们都笑了起来，他将录音带插入播放器，将音量调大。你看，谁曾想“索尼和雪儿”（Sonny and Cher）这些古老的歌曲会成为两个来自不同国家的人共同的兴趣呢？

途中经过一片贫困区的时候，他指了指窗外，示意我往外看。只见他皱着眉头，用手摸了摸眼睛，比画着流泪的样子，意思是看到这些很伤心。

路过军事基地的时候，他用手比画着枪的模样，示意我们看到的情境。当车窗外高楼林立的时候，他又翘起了大拇指，一副自豪的表情，很明显，在他心中，这是该城市值得自豪的地方。

要和我的司机实现有效交流，我有以下三种选择：

- 我可以学习西班牙语。
- 他可以学习英语。
- 我们可以找到共同的兴趣点。

第一种选择以后有时间的话我可以尝试，可是，当时我没有办法做到。如果下一次司机说法语或者葡萄牙语，我学会西班牙语又没用了。第二种选择同样不切实际，而且这样就把交流的责任推给了对方。不管我们表达自己思想的时候多么准确，如果对方所说的语言不同，一切都是徒劳。第三种选择倒是可以实现有效交谈：即找到共同的兴趣点。大家同属人类，这就说明彼此之间会有一些类似的经历或感受。这些相似点就可以拉进彼此之间的距离。

# 千方百计让自己变得有趣

对于交谈来说，“样样都通”比“一门精通”更重要。所以，平时要多留意搜集信息，千方百计让自己变得有趣，这是有效沟通的秘密之一。

## 事先做好准备

在给很多企业做培训的时候，我会让自己至少提前一个小时出门。这样，我就可以和与会人员提前打个招呼，找一找彼此的“共同点”了。这并不是什么“鬼把戏”，我感觉真的有必要了解一下参会的人，毕竟大家要共度一天的时间呢。这一个小时的时间非常关键，我可以根据客户的特殊需要调整自己的交流方式。

当然了，这对客户来说也很有帮助。我发现，在讨论开始之前，如果我和某位参会人员聊一聊，哪怕只是两三分钟，也能找到一些共同感兴趣的话题，气氛就会不一样了。还有一种身份转化的问题，你们彼此之间似乎已经有了某种的联系，不再是简单的老师 / 听会者这种角色了。

我还发现，你与对方的“共同话题”越多，在对方看来，你就显得更为有趣。

通常情况下，很少有人会为日常的交谈和会面做什么准备，交谈不顺时，往往弄不清楚问题出在哪儿。其实，事先为社交场合做准备，就好比野外探险前研究地图，你会因此建立方向感。在事先准备的基础上，比较具体的观点才会一一浮现，这样，交谈中你才能不偏离轨道。这就是你的指南针，时刻指引你朝着正确的方向前行。

那如何为交谈做准备呢？我们从以下三个角度来看一看——

**（1）将注意力集中于自己。**

会面前，准备一份“自我介绍”是必要的，注意介绍一定简要，因为你一旦成为主要的关注点，继续探索的能力就会减弱。

也可以准备两份“电梯演讲”式的简短介绍，其中一份大概 30 秒，主要介绍自己的概况和工作；第二份内容大致相同，只是不含工作介绍。第一份用得比较多，因为人们开始交谈时经常会问，“你是做什么工作的？”不过，相比较而言，第二份更容易开始交谈探索的崭新领域。

**（2）将注意力集中于对方。**

提前准备一些开场白式的话题。想一下有哪些具体问题适合问，问这些问题的时候对方会不会有尴尬感。不妨将这些问题写下来，以便加深记忆。

想一想接下来会遇到谁，你们会说些什么，将这些内容写下来。想一想，你对他们有哪些了解，比如说，他们的兴趣、爱好、生日、观点及背景信息等。可以向熟悉对方的人询问。如果对方是公众人物，不妨上网搜索，当然，我并不是说要你成为“人肉”高手，你只是从公开的信息中尽可能多地寻找自己需要的而已。

**（3）将注意力集中于所处的情境。**

在健康友好的谈话氛围中，双方的信息输入应该是平衡的，注意力偏向任何一方都会失衡。因此，将注意力集中于你们所处的情景，是最为安全的做法，就是将问题和评论集中于彼此都感兴趣的大环境或外部事件。

不妨每天花一些时间浏览报纸的头版头条，了解人们可能谈论的事件。我和妻子就喜欢讨论彼此知道的新闻事件以及头一天重大体育赛事中的获胜方。我们知道，客户会讨论到这些问题，所以，对此有基本的了解有助于融入他们的交谈之中。

任何可以开阔你的视野，提供新的信息的事情都可以去尝试。参加免费的课程或俱乐部都是不错的选择。参加市政会议、阅读“新闻第一时间”等可以帮助你了解你所在的地区发生的最新事件。如果你暂时前往其他地区，不妨在网上浏览当地新闻，看看那里发生了什么。

对于交谈来说，“样样都通”比“一门精通”更重要。所以，平时要多留意搜集信息，千方百计让自己变得有趣，这是有效沟通的秘密之一。

## 如何准备开场白

要想加入一个交谈群体，你如何准备自己的开场白呢？首先要说什么呢？

记住：你的目标是找到共同兴趣点。刚刚加入一个交谈群体就想要控制整个交谈或者想要开始新的话题并非明智之举。更好的选择是继续你刚刚听到的话题，对他们所谈之事稍加评价，当然，这种评价最好是站在他们的角度思考的结果，而非你个人的观点。

比如说，你刚刚加入一个交谈小组的时候，听到他们在谈论汽油价格，这个时候如果你接着说："噢，这个价格比我们小区附近高 50 美分。"就不怎么样了，不妨这么说："这个价格不错啊。在哪儿能买到这么便宜的汽油呢？"如果大家在谈论天气，你没有必要一五一十地唠叨自己曾经居住的地方，你应该仔细听一听他们谈论的地方，然后试着问一句："你们都住在那里吗？”这样的话，你迅速吸引了大家的注意力，说出了自己此刻的想法，只要等待他人继续你的话题就行了。这个时候，你无需展示自己的交谈技巧，只需和交谈群体里的人建立信任即可。

想一想你和他人正在交谈，这个时候有人插话，并把话题引向新的方向，你会是什么感觉？如果当时你正在说话，那么这种突如其来的打断会让你很沮丧，就算没人和“入侵者”交流，你也会愤愤不平，埋怨他们对于这种贸然闯入者坐视不理。

当你加入新的群体时，请牢记以下几点：

- 一开始不要只谈论自己，这样会显得很自我。
- 一开始不要谈论他们的观点。对于刚刚见面的人，就开始对其观点评头论足很冒险。初步接触之后，再深入探索当然没问题，但是，一开始就这么做不合适。
- 对于大家正在讨论的话题，稍作评论，以此“吸引大家的注意”。评论要简短，且尽量避免争议和武断。你的首要目标是和大家建立联系。这一步完成后，彼此之间才有足够的信任，才能继续深入交谈。
- 诚实坦然。问问自己，“我在贸然打断他人吗？”他们很可能会邀请你加入，不过，你一定要足够敏感。如果他们继续讨论明显只有他们自己感兴趣的话题，那不妨借合适的时机优雅地离开。
- 开场白千万不可以使用讽刺性的话语。这太冒险了。

● 一开始不要对工作、运动、健康、政治或宗教评论。这个时候并不合适说服谁加入你的阵营，而应该通过交流建立联系和信任。

● 选择和当时情境相关的交谈开场白，例如：

——“嗯，你是怎么认识‘主持人’的？”

——“你们彼此都已经认识了吗？”

——“今天的交通特别堵。你们在路上遇到了吗？”

——“你们是怎么找到这里的？”

● 集中注意力于“此刻”。屏蔽周围发生的事，这样你才能将注意力集中在你的交谈对象身上。这也是对他人的尊重，同时也有利于将注意力集中于交谈群体，而非你个人。

## 如何捕捉有效信息

一位从事执法工作多年的朋友曾经告诉我，警察和普通人的区别就在于注意力。多数人都会被眼前发生的事情所吸引，从而忽略了其他因素。而警察经过多年的严格训练，他们可以密切关注周围的事件，不会因眼前的情境分心。

人际沟通也是如此，我们会将更多的精力放在对方身上，想知道自己是否给对方留下了良好印象，从而忽略了与交谈相关的有效信息。而“沟通达人”则善于通过听觉、视觉及其他感觉系统捕捉周围环境的变化，他们往往会关注小细节，并以此调整交谈的方向。

当别人就我们的问题作答时，我们可以从中筛选信息，从而判断他们愿意进一步探讨的话题。比如说，你询问对方在哪里长大，他如果回答说，“哦，多数时间都是在美国东海岸。不过，自从爸爸参军后，我们搬家就比较频繁了。”从这句回答中，你可以继续以下问题：

- 他属于哪个军种?
- 你还在哪里居住过?
- 这么说来，你觉得哪里可以称得上“家”呢?
- 你们多久搬一次家?
- 对于孩子来说，没几年就要搬迁，重新开始，这意味着什么?

几周前，我在贝克尔斯菲市（美国加利福尼亚州中南部城市）的一个教堂给一些人做演讲，当时负责的是一位助理牧师，和他谈话的时候，我注意寻找彼此共同点的线索，后来发现，他之前在菲尼克斯做牧师，那里恰好是我的家乡。就这样，我们开始谈论体育，因为我们都是菲尼克斯太阳队（美国著名篮球队）的粉丝。彼此的谈话时间不长，但是却不乏话题，比如，菲尼克斯的酷热，房地产的价格，城市的迅速增长等，这些是任何一个生活在菲尼克斯的人都可能了解的。

只要我们学会观察，慢慢就会发现与共同兴趣有关的简单问题，比如说：

- 在婚礼上，你可以问，“你是怎么认识新娘/郎的？”
- 开会时，你可以问，“你参会的目的是什么？”

● 如果某人刚刚从手术中恢复，你可以问，“现在没有哪里不舒服吧？”（我之前就遇到过这种情境，对方说，这是她听到的最让她舒服的问题了。）

观察肢体语言有助于我们作出判断。多数的肢体语言都是无意识的，因此，这恰恰能反应出对方的真实感受和想法。眼神交流、手势及动作都为交谈的进行提供了一定暗示。一般来说，内向型人在倾听时和对方的眼神交流要多一些，自己说话时眼神就会移开。外向型人说话时往往会和对方进行眼神交流，因为他们很专注。不过，如果长时间只听不说，他们的眼神也容易移开。如果我们不了解这些事实，我们就可能错误地以为对方走神了，而实际上他们在认真关注我们所说的内容。

关注周围环境中的事物。运动衫的商标或某件珠宝都可能成为交谈的话题。观察对方家里或者办公室里的图片，这也在一定程度上暴露了对方的价值观和经历。现在就可以试试，观察一下你的周围，看看哪些事物可以在交谈中使用。

真诚的赞美会为开始顺利交谈的双方架起一座桥梁。对方会因为你的细心观察而感觉良好，他们对自己也会充满信心，因而在交谈中会更放得开。对于那些真正打动你的事物给予赞美：比如，对方的家、装饰、食物等。指出你注意到的他们的优点，比如说，他们和客户或客人交谈的能力，这会让他们在交谈中自如且充满安全感。

## 永远保持一颗好奇的心

充满好奇的人往往都是“沟通达人”。越是好奇，我们能够谈论的话题就越多。这并不是要我们对各个话题都精通，我们没有必要成为各个领域的专家，但是，每个领域略知一二，你就可以成为一个有趣的人。

我们也可以通过多种途径增强自己的好奇心。注意各种性格的不同之处（性格分类以迈尔斯－布里格性格测量表为依据）或许会增强好奇心：

● 直觉情绪者：爱好思考，因此，好奇心会自然而然产生。他们会运用想象力及意象，依照新的方式看待事物。可能他们会选择记日志的方式，抓住并组织观察所得，关注信息输入给他们带来的感受。如果在迪士尼乐园待上一天，他们会不停地走动，关注每个设计的细节。在一天的活动结束后，他们会根据不同事情带给他们的感受将一天的不同时间段记住。

● 理性思考者：爱好分析，因此，他们会对观察到的事物详细询问：这是谁？那是什么？什么时候？在哪儿？如何发生的？为什么会这样？他们要确定自己获取了所有的事实，然后再去分析这些如何暗含在每一天的生活中，如何将其应用于每一天的生活中。如果在迪士尼待上一天，他们会弄清楚在场的人数，队伍要排多久，并且根据所遇到事件的意义将其分别记住。

● 感性判断者：相较于抽象的概念，感性判断者更喜欢具体的观点。他们会通过视觉、听觉、触觉观察周边的世界，然后思考内在的逻辑关系。较之于应用，他们更在意细节。如果在迪士尼待上一天，他们会如数家珍般告诉你一天的所有细节。他们知道每次排队的时间，行人交通有哪些问题，如何解决这些问题等。

● 感官感知者：擅长于同时进行多项任务，并且通过行动来学习。他们通过参与不同活动获得观点和看法。如果在迪士尼乐园，他们会急于享受一天的时间，根本顾不上分析发生的一切。如果一天结束之后还记得些许细节，那一定是他们在讲述自己的经历。

培养好奇心和摄影很类似。我曾经听到一位《亚利桑那州高速公路》杂志的摄影师跟我说过，有人问他为什么他的作品会那么独特。他说，他看到的一切别人也都看得到，只是，他会选择不同的角度，比如，从更高、更矮的角度，借助日出或日落的光，再或者选择阴天等等。他会充分运用自己的想象力，找出不同于旁人的观察方法，因此，他的作品总会鹤立鸡群。当人们看到他的作品时，总会惊讶不已，因为景物并非不常见，只是，角度非常独特。

简单来说，好奇心就是从不同的角度观察常见事物。

实际上，培养好奇心并不难。如果你的好奇心已经束之高阁很久，不妨尝试以下小练习，让其恢复曾经的锐利：

● 每天浏览报纸。阅读你感兴趣的文章，不过，对于不太感兴趣的也稍微关注。将注意到的关键条目写下来，然后向自己提问新闻的主要要素：谁？什么？什么时候？哪儿？如何？为什么？领悟文章的言外之意，寻找其中的原因和目的。这就是说，你和别人看到的信息一样，但是，却读出了不同于别人的内涵。

● 寻找周围你平时不怎么注意的事物。沿着繁忙的城市街道走一走，听一听自然的声音。即使身处拥挤的交通之中，你也有可能听到鸟儿的歌唱。

● 沿着街道前行的时候，尝试想象擦肩而过的人在想些什么。观察他们的面部表情，想象他们这一天过得如何，将去哪里。

● 观察的同时，写下你的所得。并将无法回答的问题记录下来。下一次和他人交谈时，不妨将这些问题拿出来，看看对方有怎样的想法。

● 看电视的时候，也可以问自己一些新闻要素（谁？什么？什么时候？哪儿？如何？为什么？）。想象撰稿人为节目忙碌的场景。为自己看过的电视剧想象一个不同的结局。

● 像孩子一样，多问几次“为什么”。不要在交谈中反复使用某一个词语，应该让问题引领你去探索和讨论。培养自己的好奇心，从而得到你想要的信息是非常有力的交谈工具。

● 探索每次交谈中未知的领域。充满好奇心，去挖掘交谈一开始时你并不知道的信息。

好奇心派上用场无非有三个时间段：交谈前、交谈过程中和交谈后。如果有意去培养好奇心，在这三个时间段里你就会有所受益。请记住，你是在探索，你的面前有很多隐藏的宝藏，你的任务是找到这些宝藏。如果你觉得这些宝藏都不存在，那么谈何寻找和找到呢？

这就是交谈成功的秘诀：假设所有和你交谈的人都知道一些你不知道且很有趣的事情。弄清楚这些内容，并以此为目标。探索隐藏在表层之下他们真正的反应。无须在脑海中列出一堆的话题，其实对方才是你挖掘话题的源泉。如果你是真的充满好奇，想要弄清楚他们的兴趣所在，那和对方交谈就容易多了。

## 我们的好奇心去哪儿了

在研讨会上，我经常会在空白的便签纸上用马克笔点一个点，然后问他们，这是什么，多数人都回答说：这是一个黑点。可是，如果被提问的是一群孩子，几乎没人给出这样的答案，他们可能会说：

“这是地面上的一个洞。”

“这是一只南瓜虫。”

“从上面看这是电线杆。”

“这是一滴墨水。”

“这是一个球。”

孩子天生就是好奇的。如果你和一群四岁的孩子相处，你就知道他们有多么喜欢问“为什么”了。因为这样的好奇心，他们才会很自然地探索周围的世界。一开始很可能只是玩耍，比如搭积木，运用想象力、字词以及各种物品等。随着经历的增多，一切都在朝着复杂化的方向发展，但是，他们却因有了新的观点而愉悦不已。就这样，因为喜欢而反复，没有人强迫，只是内心的欢喜使然。不断反复最终也就有了精通，成就感和自信心也就随之而来了。有了自信心，他们就想继续探索周围的世界。你看，这个循环的开始和结束都和好奇心有关。

成年人就不同，已经具备的能力反而成了障碍。擅长做一件事之后，我们往往会丢掉最初的好奇心。毕竟，我们的目的是将工作做好，因此总觉得没有必要挑战不同的方式。工作中每日面对的挑战，周围环境的不断变化更是加速了好奇心的丢失。需要做的事情太多了，因此，我们开始墨守成规，一成不变，最终只做那些我们熟知的事情。

要是在几年前，粉刷房屋这类事情我们肯定亲力亲为。虽然耗时耗力，可完成后心里却很满足。不过，对于这件事，人们现在的反应却让人吃惊：他们会想，明明可以请专业人士来做的事，居然自己动手做？有人甚至会说:“如果我自己动手粉刷，真不知道从哪里开始。”有些事情确实太复杂。比如最近，我们买了一些厨房用品，有些商标明确注有严格的警示：任何维修非专业技工不得进行。也就是说，维修工作超出了买主的能力范围。可是以前并不是这样：我们会先自己修理，实在不行，才向维修店求助。今天却反过来了，自己动手之前我们就先寻求帮助了。

# 学会从他人的角度出发

如果我们学会从对方的角度出发，真正在意对方，理解对方，即使沟通技巧不那么娴熟，也完全可以取得良好的效果。

## 一切都是态度使然

塞拉和汤姆驾车一起前往朋友的婚礼。路上他们遇到了堵车，汤姆变得越来越烦躁，塞拉不停劝他，想让他平静下来。可是，塞拉越努力，情况越糟糕。这无法归咎于谁，他们只是陷入了交通堵塞之中。塞拉无法理解汤姆为何会烦躁，而汤姆也无法理解塞拉为何还能保持平静。

塞拉和汤姆面对的境况是一样的，为何出现如此大的差异呢？一切都是态度使然，人的态度和思维模式决定了人们的感受。

人际沟通也是一样的道理。我们可能比较担心自己的言辞是否得当，对方会有什么样的反应，却往往忽视了对方真正的想法和需求。如果我们学会从对方的角度出发，真正在意对方，理解对方，即使沟通技巧不那么娴熟，也完全可以取得良好的沟通效果。

关于人际沟通中的态度，我们可以从两个方面来考虑：

- 我们对他人的态度。
- 他人对我们态度。

## 真正对他人感兴趣

一个周六的下午，劳拉和本按照房屋出售标牌，一路寻找，希望能够找到一处符合他们要求的房源。考察其中一所房子的时候，中介人员向他们介绍了房子的构造、建筑时间、所属学区等信息。

这位中介大谈特谈小区孩子的数量，周边学校有多好，却根本没有听一听劳拉和本的需要。如果他能够听一下，就会知道这对夫妻多年来一直因为无法生育而痛苦。如果他真的能听一下对方的要求，这对夫妇在他眼里也就不仅仅意味着潜在的销售业务量了，他会从普通人的角度去审视和倾听。

亨利·杜蒙德说过，“这世上，对于快乐的追求，一半都变了味。人们以为快乐是拥有，是得到，是享受他人的服务。恰恰相反，快乐是给予，是服务他人。”

这也是戴尔·布尔克在其著作《物稀为贵之领导篇》(*Less Is More Leadership*)中所传达的精髓:“谦卑地服务他人并不会损害一个人的领导潜能,相反,这恰恰会促进领导潜能的发挥。在领导之位上,弱化“我”的存在最终却会让“我”更为凸显。

在意是无法弄虚作假的。如果我们能够树立服务他人、满足他人需要的态度,那么和他人的交谈也就更容易获得成功。焦点要从自身转移到他人那里。

对他人感兴趣,是任何人际关系得以维系的智慧所在。如果我们把全部精力用来吸引他人的注意力,让他人满足我们的需要,那么他们也会如出一辙。这样的话,人际关系就是以自私为基础的。但是,如果我们将对方的需要放在前,自己的需要放在后,他人也会如此,人际关系就会以给予为基础,而非索取。长久的信任和坚固的人际关系也就能够建立起来了。

要是身边没有可以学习的例子怎么办?换句话说,身边根本没有谁会无条件地关注我,在意我,该怎么办?当然,这并不是说你的处境就无可救药了,而是挖掘可效仿的例子,尝试在意他人,并注意他人的反应。

注意,重点在于我们自身的责任,而不是他人的行为。我们无法控制他人,最多就是给他人带来影响。我的工作就是让自己成为关注自身正直与否、行为端正与否的那类人。如果我能够做到这一点,那么他人也就会有不同的反应了。

我们无法保证对方一定会发生变化，但是，我们要对自己的行为负责，在与他人相处的过程中，尽力做好自己该做的。

## 我们不能控制他人，但可以影响他人

记得一位心理学家跟我描述过他每天到家后，将车驶往自家车道的情境。在工作中他需要不停地讲话，因此，下班后精疲力尽的他就想着快些回到屋里，好好放松一下。老实说，他真的不想再去厨房帮忙，或者帮助孩子在六年级的家庭作业上伤神了。如果告诉家人他很累，希望他们理解，也不是什么难事。可是，他视妻子和十一岁的女儿为珍宝，不忍这么做。因此一天的工作之后，回到家，在将汽车引擎熄灭后，他会大声对自己说："现在我要准备好开始一天之中最重要的工作了。"他选择了这样的思维模式，因此，也就有了和睦的家庭关系。

无论我们有怎样的感受，我们都可以这么去做。一味觉得自己有权利，理应享受舒适，我行我素，这种过度关注自我和自我需求的思维模式自然会带给你痛苦。相反，如果我们选择服务他人，也就为坚固的人际关系奠定了基础。与他人融洽相处恰恰就是我们进行有效交谈的能力源泉。

几年前，我去了一趟埃塞俄比亚，当时心里很没底儿，因为我不熟悉阿姆哈拉语，不知道是否能够和当地人顺利交流。我的朋友史蒂夫之前去过多次，因此，在飞行途中我跟他学了几个有用的词和短语。其实，我们将要接触的人也会说英语，用英语进行简单交流并无大碍，但是，一想到我就懂那么几个阿姆哈拉语的词语，我就总忍不住惶惶然。一到目的地，我就发现他们对于我旅途中的些许努力很是赞赏，因为他们知道我心里想的是满足他们的需要。虽然我的发音让他们忍不住发笑，可彼此之间的关系就这么建立起来了，因为他们知道，我的心朝他们敞开着，先伸出了友爱的手。

如果没有旅途中的尝试学习，对方就会觉得你很傲慢，似乎在宣布："我不需要给你们带来方便，也不会去烦神学习你们的语言。你们要用英语跟我交流，为我提供方便。"

我无法强迫你喜欢我，对我感兴趣或满足我的要求。你有选择自己感受及行为的自由。如果你不愿合作，我越是强迫你，就越会感到沮丧。

我唯一能控制的就是我自己的选择。我可以选择对你说的话，选择自己的行为方式以及我对你的感受。我可选择满足你的要求。你无法强迫我，这些都是我个人的选择。

那么，我该怎么做呢？我不能控制你，但是，我可以影响你。我所做的选择会影响你的选择。如果我选择满足你的要求，这个选择就会对你的选择产生影响。

人们又有怎样的基本要求呢？很简单：被理解，被赞赏。被理解意味着他人将时间和注意力集中于我们，将精力倾注于我们，并在此基础上认识到我们的存在，与我们互动。被赞赏意味着他人喜欢我们，并示意和我们建立联系。

## 从积极的镜头审视自我

我们的思维方式决定了我们的身份，因为有什么样的思维方式，就有什么样的态度。这就是态度重要的原因：因为态度是你思维方式的真实写照。态度进而决定了我们的行为和选择。

我们的思想决定了我们的态度，进而决定了我们的行为。我们生而具有不同的性格。成功的关键并不是要改变这种独一无二性，而是学会接受和赞美它。一旦我们对自己有了清楚的认识，了解了自己的独一无二性，我们就能够用这种独一无二性影响他人了。

在本书前面的章节我们讨论了自我对话的作用。我们已经看到相信自己对于和他人建立联系有着直接的影响。如果我们从消极的镜头中审视自我，就会觉得他人也是以同样的眼光看待我们（这样一来，我们和他人交流的方式就会受到影响）。如果我们能够透过真实的、积极的镜头看待自我，那么，我们会认为他人也是从相同的角度看待我们。

因此，正确且精准地看待自我很重要。那么，会发挥最大作用的积极镜头是什么呢？

**镜头一：接受。**

要认识到，并非每次交谈都会完美无缺。当我们追求完美时，我们会发现每次交谈都无法如愿，挫败感也就油然而生。这样的经历会挫伤我们对于自我能力的认识，继而影响以后的交谈，因为我们看待自我的镜头乌云密布，失去了真实性。就像雪崩一样，向下的趋势总会不断加速，直到无法阻挡。

相反，一个成功会孕育另一个成功。每一次顺利的交谈都会增强你的自信心，你也会因此更为期待以后的交谈无往而不顺。

**镜头二：愿景。**

和他人交流不顺的确让人不悦，但是，将这种不悦投放到未来就不好了。某个人的消极观点不应成为我们衡量自我价值的可靠尺码。

平日里我总是忍不住去想那些从政的人，我总觉得他们的工作一定不容易。就拿一个市的市长来说吧，不管他/她做出何种决定，总有市民不满意。要应对市民的这种反应，的确需要树立正确的观点。

我给100个人的研讨会上课的时候，会要求他们在每一天结束的时候填写评估表。评估表满分十分，每次都有 99% 的人打 9 分或打满分，而有一个人却给了 5 分。于是，我很本能地纠结于那个 5 分不放手，总想着如何改进一下自己，以便得到更高的分数。可是，这种情况下，我应该关注绝大部分的分数，因为这才是准确的结果。如果对于你所说的内容，只有 1% 的人给出了消极的反应，99% 的人都感觉不错，那问题就不在你了。

如果有人跟你说，你是一匹马，那就不要理睬，如果十个人都这么说了，那就去买个马鞍吧。

**镜头三：积极性。**

交谈的目的是建立联系，而不是让他人永远记住你。

如果你本身好静，那就不要将自己和在场最外向的人相比较。这种比较毫无意义，就像拿着苹果和橙子比较没什么两样。任何时候拿自己和他人作比较，都是不现实的。关键在于认识并接受自己的独一无二性，学会与其和睦相处。如果真正能做到这一点，你就会由内而外地形成积极的观点，进而吸引他人。

**镜头四：感恩。**

每个人似乎都很忙，因此，时间也显得弥足珍贵。如果有人花时间和你交流，他们就是在送给你最宝贵的礼物。意识到时间的宝贵，你就会改变和他人交流的方式。

即使对方在交谈方面并非尽善尽美，你们的交谈也是独一无二的，你在交谈中获得的对方的关注也是他人不可能获得的。因此，好好享受和对方的交谈吧——不要总着急火燎地冲向下一次交谈。

**镜头五：满足。**

满足感是发自内心的，只有真正接受自己，认识自己的独特性才会产生。要认识到，我们并非粉墨登场的演员，他人也非台下的观众。我们彼此是相互影响，相互分享的，只有这样才可能收获让人满意的交流，双方才会奉上真实的自我。

数年前，电视剧《朱门恩怨》（*Dallas*）上映，该剧讲述的是德克萨斯州的一个石油家庭，尤因是其中一个角色，他以欺诈和操纵权力而出名。其中一幕，一位朋友问他为何会如此残酷地对待他人，他回答说："这没什么难的，只要放弃正直和坦诚就可以了，放弃了正直和坦诚，其他就都简单了。"

所谓坦诚，就是内在和外在相一致。当内外一致时，满足感才会产生，因为这个时候你无须努力假装，努力遮掩，一切都是自然而生。

记得戴尔·布尔克成为我们牧师的时候，他的妻子在集会的人群前受访。有人问她，能否说说她的丈夫在讲道台之外是什么样子。她回答说："你们看到的讲道台上的他和我看到的家里的他没什么两样。"这就是坦诚——如果真的做到了坦诚，你的态度就会吸引他人，他人就愿意和你交流。

# 学会倾听，别人才能聊得开

上帝给了我们两只耳朵，一张嘴，因此，我们应该按照这个比例来使用。多年的培训经验告诉我，只有真正学会倾听，对方才能聊得开，话题才能够不断深入。

## 倾听：最有效的沟通技巧

20世纪70年代中期，我还是一名大学生，当时一位同学为完成一项课堂作业做了一个实验。他在当地报纸上刊登了一则广告，内容如下：倾听你的诉说，绝不插话，一个小时50美元。尽管他对自己的广告文案非常自信，但他对广告效果没抱多大希望。可是，实验结束的时候，他却意外地收获了600美元！

对于我们大多数人来说，成长过程中并不怎么在意倾听。想一想在阅读方面你花了多少时间就知道了。父母会给你推荐好的书籍，学校也会布置阅读任务，成年后你甚至会参加快速阅读课程。写作和口头表达也是如此。上学的时候我们有专门的课程讲解如何有效写作，我们要在整个班级面前做演讲，目的就是锻炼口头表达能力。

可是，在倾听方面，我们接受过多少正规的训练呢？多数人的回答可能都是“丝毫没有”。

有人说，上帝给了我们两只耳朵，一张嘴，因此，我们应该按照这个比例来使用。脱口秀主持人拉里·金曾经说过：“每天早晨我都会想到，今天我所说的任何内容都不会让我增长知识，因此，要想吸取很多知识，就要去倾听。”

对于人际沟通来说，倾听是最有力的技巧之一了。多年的培训经验告诉我，只有真正学会倾听，对方才能聊得开，话题才能够不断深入。

## 你善于倾听吗？

作为倾听者，你觉得自己属于哪种水平呢？先来看看下面几个问题：

- 对方说话的时候，你是否正在准备自己要说的内容？
- 在他人结束说话之前，你是否喜欢插话、打断别人的思路？
- 如果他人说话的时间比较长，你是否会失去耐心？
- 你是否觉得让他人理解你的观点比理解他人的观点更为重要？
- 如果他人告诉你自己的烦恼或挣扎，你是否喜欢出主意？
- 人们是否觉得你善解人意？

坦诚回答上述问题，就可以看出你的倾听水平了。如果你的回答多是关注他人，那么你应该已经懂得倾听的价值了。如果你的回答多是关注自己，那么你就需要加强学习了。

我们都有这样的体会，如果交谈中对方认真倾听，我们心里就会比较舒坦，而且愿意和对方进一步联系。如果对方不关注我们说的内容，就好像在传达这样的意思："我对你不感兴趣，我真的不关心这些。我更感兴趣的是自己。"这样说可能并不准确，但是，我们确实会解读出类似的信息。

当感觉对方不在倾听时，彼此之间就毫无信任可言了。因为信任没建立，所以就不存在彼此之间的联系，人际关系进展的可能性就很小了。

商务谈判也是如此。如果你不倾听客户的需要，客户就会流失。他们甚至会在别处花更多的钱购买相同的商品或服务，仅仅因为对方在意他们的需求。

## 小心，别让肢体语言出卖了你

如果每个人的前额都镶有一块电视监视器，实时播放他们在想些什么，那就不难判断交谈中对方是否走神了。这当然只是假设，所以我们还得依靠自己的感觉系统，观察所有的细节。不过，判断对方不在倾听很容易，可是，如何判断对方对自己所谈话题有没有兴趣呢？

相关的研究已有不少，但结果各不相同，只是有一点算是共识：当肢体语言、面部表情和正在谈论的内容不相符时，我们就可以说，肢体语言比有声语言更可信。早期的一份研究表明，交谈中，只有 7% 的内容是话语传递的，38% 的信息靠语音语调传递，而高达 55% 的信息都是来自肢体语言。

话语方面可以伪装，但是，肢体语言往往会出卖我们。当与他人交谈时，我们会通过感官吸收信息，关注正在发生的一切。我们听着对方的话语，同时也在观察其肢体语言。有意无意间，我们就会捕捉到一些信号，表明其没在倾听，比如：

- 没有坚持眼神交流。
- 面无表情。
- 即使有目光接触，也呆滞无神。
- 点头或简单回应，但是不会参与话题讨论，也不会询问细节。
- 对于正在讨论的内容给出不合适的回应（也就是说，回应和话题不相符）。
- 很容易被周围的动静所吸引。
- 简单听几句之后，就开始对你所说的内容不停评论。

虽然我们的意识层面可能并没在意这些细节，但我们的潜意识一定会在意。结果就是我们不会和对方进一步联系。

这种现象也是相互的。如果我们向他人传递这些信息，对方也会有同样的感受，也不愿跟我们建立联系。“但我并不是那个意思呀，”你可能会这么说。这并不重要，因为他们的认知所获取的信息对他们来说就是真相。细微的信息会帮助他们形成对你的印象，这种印象可能是对的，也可能是错的。

问题是，我们获取信息的速度比我们传递信息的速度要快。因此，当某人以某种速度说话的时候，我们听取对方传递信息的速度会更快。这样一来，倾听的时候我们的大脑就可能同时处理多项任务，换句话说，我们可能会走神。我们以为对方不会注意到，实际上，对方的潜意识正在获取这些细节。

## 如何传递正向的信息？

在交谈过程中，对方会想：“我不知道他 / 她是否对我说的话感兴趣。”他们会观察你的反应，从你传递的信号中寻找暗示。如果所谈内容合适，那么对方就会看到你很感兴趣，因此会有继续交流的想法。向对方传递正向的信息，就等于告诉他 / 她你是可以信任的，这样，对方才会和你建立联系。如果我们注意到这些信号，并真正理解，就可以加以控制。这并不是要什么手段，而是确保非言语交流没有阻碍有效地进行。

当你更加关注交谈过程中所发生的一切时，不妨看看自己说话时在给对方传递什么样的信号：

● 根据对方所谈内容提问题，然后仔细倾听他们的回复，而不是思考接下来你要说什么。仔细倾听，你就可以从对方的回复中获取信息，这样，交谈才会向着新的方向发展。

● 学着有意识地屏蔽周围环境中的一切。可能你接触过这样的人，而且对他们印象深刻。他们的反应就是在告诉你："对我来说，你很重要，周围的一切不会让我分心。"如果周围的干扰太多，想做到这一点就很难了。不过，熟能生巧，做到这一点你才能真正和对方建立联系。如果刻意假装屋子里没有其他人，你就需要有意识地付出努力。如果有人喊你，不妨简单地朝他们挥挥手，示意他们你稍后过去。然后继续正在进行的交谈，如果合适，也可以邀请他们加入进来，这样，既照顾到了正在交谈的另一方，又建立了他们之间的联系。

● 保持目光接触。有些人将有效的目光接触称为"精神的握手"。没有什么比目光接触更容易建立联系的了，同样，如果忽视了目光接触，眼神交流，对于潜在的人际关系会形成最大的损害。我和妻子在新婚后不久就体会到了这一点。她很善于同时处理多项工作，甚至可以一边忙着厨房的清洁，一边深入交谈。可是，如果和她没有目光接触，我就没有办法讨论一些敏感话题。现在，我们都知道应该如何处理这种情况了：如果是好事情，大家可以边忙边聊；如果是严重或严肃的问题，一定会坐下来，喝杯咖啡，好好谈。

● 全面调动你的感官系统（眼睛、耳朵、内心和思维），关注你发出的及接收的信号。如果你有意关注交谈中的所有细节，就可以发现暗藏在表面之下的动态变化。

● 时不时点头，让对方知道你在认真倾听。不一定非要在表示赞同的时候点头。点头是为了让对方知道，你在倾听对方，你没有走神。

● 不要插话。我们经常会不假思索地插话，因为突然想到了什么，觉得这个和所谈内容有关。但是，如果对方还没说完，他们会觉得你并不重视他们正在说的内容，而更愿意自己发表看法。

● 不要害怕沉默。沉默就像是交谈中的真空，时间越长，我们越觉得必须说些什么。沉默就像是交谈中出现了故障一样，似乎在暗示我们缺少让交谈顺利发展的基本技能。但是，如果让沉默持续下去，等待对方先开口打断沉默，你就可以根据对方所说继续交谈了。营销人员深谙等待的重要性。等待之后对方开口说话，他们可以因此获取必要的信息，而这些信息是其他任何方式都无法带来的。

● 如果你要稍加评论，一定要让评论与对方所说的内容相关。先简要提取对方的观点，然后再加入你的观点，这样，对方就明白你一直都在认真倾听。

● 重述你所听到的对方的话语。不要像鹦鹉学舌一样，一字不差去重复，这样他们会觉得你在耍花招。要用你自己的话来总结对方刚刚谈论的内容，然后问问对方，你的理解是否正确。要做到这一步，需要进行有效倾听，因此，他们会觉得得到了理解。如果对方因为某事而不安，这种方式再好不过了。他们感受到了理解，情绪就会有所缓释。

## 倾听也会出现卡壳的情况

不仅演讲会出现卡壳的问题，有时候倾听也有出现进行不下去的情况。概括来说，主要有以下三种：

- 思想出现游离，也就是说你走神了。
- 跟不上对方的思路，理解不了对方所谈的内容。
- 实在提不起兴趣。

（1）**你走神了。**

在交谈的过程中，你突然意识到对方停止说话，等待你的回应。出现这种状况很可能是因为你走神了，也有可能你对对方所说内容很感兴趣，然后思想稍微偏离，忙着进行信息加工。可能你在想：这些信息该如何适用于我，我好像马上会遇到类似的情境，或最近我也遇到过类似的情境等等。

意识到自己走神的时候，千万不要惊慌。很可能你会没听到他们最后一句话，你可以在之前交谈基础上，稍加评论。不过，最简单的方式就是说实话，让对方知道真相：“对不起——刚才我还在思考你之前说的内容，因此最后一句话没听到。我可以就你刚才说的内容问个问题吗？”这会显得比较诚恳，对方也会知道你因为仔细倾听，认真思考，所以才没跟上。

**（2）跟不上对方的思路。**

没有谁愿意让自己显得无知，因此，在不懂的时候我们总会假装自己懂了。其实，及时询问，真正弄清状况并无大碍。

作家兼演讲家凯西·科拉德·米勒就示范过很多次。比如，如果我发表某种看法或想让自己的话语听起来更幽默时，她可能会微微一笑，然后说道：“我不太懂你的意思。帮我解释解释。”一开始的几次，我觉得这样的反应挺新鲜，暗暗希望自己解释的时候能够比较自然。不过，我感觉这恰恰说明了她的自信，她觉得承认自己并非什么都知晓很正常。实际上，她那么说的意思是：“我真的希望理解你的话语，我需要你帮助我实现这一点。”我认为这也不是什么需要学习的高级技巧，只要去实践就可以了。

**（3）实在提不起兴趣。**

我们会尽力照顾好庭院的植物，然而，就算付出再多努力，有些植物也难免枯萎，甚至死掉。有些人说，他们就是“褐手指”——彻头彻尾不懂种植，在花园里，手指碰到什么，什么就死。可是，即便我这位园艺专家，也难保证我养的所有植物都存活下来。这并不是我的问题，而是植物的问题。

交谈也是如此，不管我多么有技巧，这种需要双方共同努力的事情也未必成功。我只能代表我自己，无法控制对方。如果交谈进行不顺，我有两个选择：

- 我会尝试发现对方的专业或热情所在。对于自己有热情的事情，人们一般会侃侃而谈。
- 如果这样还是不行，我会体面地结束谈话，继续其他事情。

## 学会真正在意对方

密切关注接下来你要进行的几次交谈。可以是自己参与的，也可以是他人之间的交谈，而你只是个旁听者。注意大家都说了些什么，特别要留意非言语信号，看看哪些行为会让对方想要保持联系，而哪些行为会成为有效沟通的障碍。

去年我接受了一次电视采访，为了准备那次采访，我事先看了几场节目，观察主持人和受采访者之间的互动。有些时候双方会立刻开始默契的配合，而有些时候，彼此就显得不那么协调了。我想找出其中的差异，最后发现都是非言语信号在起作用。如果双方配合得不好，那么他们肯定是依靠在沙发上，没有目光接触，只是机械地传递信息而已。相反，如果双方配合默契，他们会拉进肢体距离，受采访者会专心地和主持人交流，并且有目光接触。似乎他们根本不会留意周围的摄像机等环境因素，只是专心地进行亲密交谈而已。

我问主持人，在他们看来，采访要成功，最关键的是什么。他们的回答和我的推测一样。虽然观看的人有数百万，但是，受采访者只是集中注意力和他们交谈而已。

接下来的几周不妨观察一下，看看交谈是否进展顺利，留意交谈双方在做些什么，然后付诸实践。最关键的是要真实。如果伪装某些肢体语言，多数人都会识破的。学会真正在意对方以及对方关注的事情。越是真实，你的有声语言及肢体语言就越相称，对方也会感觉到你在倾听，那么预期的联系也就会建立起来了。

# 学会提问，别人才能聊得透

人们更愿意和自己喜欢的人建立联系。如果你和对方讨论他们关心的事情，彼此的关系就很容易拉近。

## “第三十八个”

走进唱诗班排练的时候，我看到自己的朋友托姆正在门里面唱着。

“最近还好吗？”他问道。

“还不错，”我答道。

“三十七。”

“三十七？”我很不解，“什么三十七？”

托姆说，“你注意观看就知道了。”

接着，又有一个人走了进来。

“你好”，托姆说，“最近还好吗？”

“还不错，”那人回答道。

“三十八。”

托姆向三十八个人提出了同样的问题，而且得到了几乎同样的答复。

这个问题是我们打破沉默、开启交谈的常用问题之一，回复的细节并不是重点。

多数人都觉得交谈最好的方式就是提问。恰当的提问确实可以推动谈话的深入，你也会获得很多有价值的信息。如果问题不当，交谈的双方都会很沮丧。因此，在合适的场合提出恰当的问题显得尤为重要。

还记得我们前面讲过的“过滤器”吧？这时它又发挥作用了。对方所说的话，我们都会加上自己的注解，用自己的经历去理解，然后提出自己的问题。这一点是很致命的，很多人际关系的矛盾都源于此。而那些经验丰富的沟通达人会避开这一点，他们往往会从倾听者的角度提出问题，而非从自己的经历和经验出发。

## 封闭式提问 Vs 开放式提问

提问的形式多种多样。不过，因目的不同，我们可以将其分为两大类：封闭式提问和开放式提问。

一般来说，封闭式提问只需一两个词语就可以回答，比如“是”或“不是”。如果你需要他人的基本信息，这类提问就是不错的选择。比如说，你想知道对方的工作、当时的时间或是卫生间的位置，封闭式提问就再合适不过了。

在交谈刚开始的时候，封闭式提问是不错的出发点，这就像打开一个你知道里面藏有宝藏的地下室一样。不过，一旦进入其内，你就想要利用开放式提问开采宝藏了。

相比较而言，开放式提问很难用一两个词回答，回答者自然会拓展其思路。如果运用得当，开放式提问会有很多益处，比如：

● 交谈会更加容易，因为通过提问，你可以让对方讲述自己，谈谈自己的看法。所有的事情都是对方在做，你只需认真倾听就可以了！

● 对方会更有安全感。如果向对方提出一连串只需简要回答的问题，他们会觉得是在接受质问。而开放式提问便于对方自行决定所要讲述的内容，因此，他们会有安全感。

● 有助于增进彼此的信任感。开放式提问会让对方会觉得你真正在意他，否则也不会提出这样的问题，而且他们也能感觉到你在用心倾听。感受到对方真正在意自己时，信任感就会油然而生。

● 真正掌控交谈的方向。开放式提问会让你自己感觉很放松，并且享受和他人的信息交换。一旦提出开放式的问题，你就开始真正掌控交谈的方向了。

真正的沟通达人往往善于自由转化这两种提问。比如说，有人向你介绍了一位朋友，告诉你说他/她曾在中东待过一段时间。你不妨试试如下开放式提问：

“你为何去中东呢？”

如果对方的回复非常简短（比如说，“军事原因”），你可以再提出几个封闭式问题，获得更多的信息，然后再次回到开放式的问题之上。

● “你是哪个军种？”（封闭式）

- “你为什么选择海军呢？”（开放式）
- “我总觉得伊拉克到处都是沙漠。海军在沙漠地区能做什么呢？”（开放式）
- “你在那儿过得怎么样？”（开放式）
- “你们的日程安排是怎样的？”（开放式）

其实，开放式提问和封闭式提问的差异并不大，有时候仅仅是词汇方面的微小改动。比如：

- 不要问“那里热不热？”（封闭式），而应问“你在那儿时天气如何？”（开放式）
- 不要问“你准备回来吗？”（封闭式），而应问“如果有一天你选择回来，会是什么原因呢？”（开放式）
- 不要问“你想念你的家人吗？”（封闭式），而应问“离开家人这么久，你感觉如何？”（开放式）

注意：对方回答的时候，一定要仔细倾听，捕捉对方言语的有效信息。把自己想象成新闻记者，向对方提出上文中我们讨论的六个 W，即：Who（谁）？ What（什么）？ When（什么时间）？ Where（在哪里）？ How（怎么样）？ Why（为什么）？将这六个基本问题作为开放式的探索工具，你会获得意想不到的收获。

如果你对对方所言真的感兴趣，可以鼓励他 / 她继续。比如，“你说的很有趣——多给我说一些吧”之类的。你还可以尝试其他鼓励性的话语，比如：

- “如果我也身处其境，真不知道能否像你一样处理得当。你当时感觉如何？”
- “真是让人难以置信！之后你受影响了吗？”
- “这正是我想知道的内容。你能再多告诉我一些吗？”

这些提问同样适用于日常交谈，不要生硬地来一句“今天过得怎么样？”不妨做些改变，比如，“跟我讲讲一天的经历吧”。词语方面稍微改动就会产生完全不同的效果，无论长度还是质量都是如此。

在群体交谈之中，一开始可以选择封闭式问题，比如，“你们是怎么过来的？”、“你们和在座的其他人之前有联络吗？”、“你们是怎么认识 ***（人名）的？”了解他人的经历、背景和专业之后，可以就彼此的相似之处继续交流。你会发现，交流时间越长，彼此的共同点就越多，彼此的信任感就会越强。

## 有效提问的技巧

在提问的时候，首先要注意观察。如果你注意到有“危险信号”，不妨采取以下策略，以免失控：

● 开始交谈时，不要选择比较难回答或者比较深奥的问题。一开始就提出比较深入的问题，对方会很吃惊。因此，首先花时间建立信任是关键，有了信任，然后再自然地深入交谈。

● 选择开放式问题时，要确定这些问题的针对性。如果你问对方:“你对政治怎么看？”对方的回答可能就比较有限了。因为他/她很可能不知从何说起，甚至懒得回答。如果选择的问题比较有针对性，回答也就有了一定的范围，这样对方也就容易给出合适的回复了。

● 真正在意对方的回答。如果对方意识到你并不关心他们的回答，他们就会觉得你的提问毫无诚意。若非如此，还有一种可能就是，对方给出的信息远远超出了你的需要。

● 事先做好计划。比如说，下周我要和一位公司的CEO进行电话会议，而这个公司恰是我马上就要去工作的地方。我从没有和他见过面，因此我要事先浏览一下他们公司的网站，阅读一下这位CEO的大致介绍，从中我可以了解我们之间有哪些共同之处，据此设计一些问题，这样就能确保我的提问得到合适的回答了。

● 列出问题请单。对某些人来说这种做法显得不自然。他们觉得如果真的在意，无需笔头记录也可以想起要提的问题。可是，脑海存储的信息量太大，如果能够以便于记忆的方式将其组织好，也足以说明你对交谈的重视。跟那位CEO通话的时候，我的面前摆好一张问题列表。这样我就可以很放松，将注意力集中在交谈上，自如地去探索对方提供的新信息。

● 多准备几个一般性的问题，熟记在心，需要的时候可以信手拈来。如果和几个人围桌而坐，交谈突然停止，不妨尝试提出这样的问题，让交谈再次展开。如果你感觉某个话题已经谈得太多，那就尝试改变，提出新的问题，让大家转向新的交谈方向。一开始可以尝试几个封闭式问题，确定大家的兴趣所在，或者将你刚刚听到的某些共同的兴趣整理出来，以供大家深入交谈。

● 当心比较冒险的问题。人们的生活时刻都在发生变化，因此，如果你们有段时间未曾谋面，和对方交谈时，所有的假设都要小心。如果问到对方的配偶、工作或子女，却意外发现对方已离婚、失业或因孩子的学习而烦闷不已，这个时候双方就很容易陷入尴尬。你并不知道对方是否经历了或在经历痛苦，因此，发问之前一定要谨慎。比如可以这么表达：“上次我们聊天时，记得你说过工作上有些棘手，后来怎么样了？”或者“你的儿子最近怎么样？”这样的问题就比较诚恳，因为你没有故意回避彼此都知道的事实，但同时又在慢慢接近主题，而且对于可能出现的问题很敏感。

● 遇到不理解的问题，不妨直接提问。很多人有这样的担心，对方会以为我们没有认真倾听。而事实恰恰相反，直接提问会让对方感觉出你在认真听讲。因为只有用心倾听才会提出问题。

● 如果对方失去了交谈的兴趣，并不一定是你的话题不合适，而是你将注意力过多集中在交谈上，而忽视了对方的真正想法。专业的销售人员都知道，如果要和顾客有效交谈，交谈中顾客所说至少要占 70%。

● 问什么问题并不是关键所在，真正的关键在于你对对方的回答真正感兴趣。仔细听对方的回答，而不是一心想着接下来你要说什么。

## 遇上了沟通高手，该怎么办？

今天早晨我和吉姆一起喝咖啡，他展示了平衡交谈方面过人的技巧。我向他提问，试着探索新的讨论话题。他不慌不忙，一一作答，将其生活的种种细节娓娓道来。不过，每隔一会儿他就将开放式的问题抛向了我，提起了几个月前我们谈及的内容。在交谈中我们两个人都有提问，也都有倾听。交谈结束后，双方都满意而归。

我们一再强调从对方的角度考虑问题，学会给予对方足够的关注。然而，有时候我们无需太多的介入，交谈也可以顺利进行，因为对方对我们感兴趣，会不断挖掘我们的经历。如果是这种情况，你一定要心中有数，这说明对方是沟通高手，选择了和你一样的沟通技巧。

交谈过程中，你一旦成为受关注对象，该如何是好？

● 坦诚相对。马克·吐温说过，如果你总是说实话，记性差也没关系。因此，在交谈中，我们应尽量做到这一点，这是一切有效沟通的基础。

● 如果不确定该如何作答，不妨请对方重复一下问题，以此争取时间仔细考虑。无需躲躲闪闪，坦诚地告诉对方，你需要点儿时间考虑。

● 如果想要幽默一下，一定要谨慎，这就像大夫手中的手术刀，使用时一定要小心谨慎。不要开玩笑，和刚谋面的人更是如此。要用一颗轻松的心对待生活，交谈中也要贯穿这样的态度。

● 如果从对方的面部表情中几乎看不出任何提示，不妨问问他们是否满意于你的回答。你也可以说“这是我的想法,你怎么认为？”或者“我这么说讲得通吗？”

● 学会用故事表达你的立场，故事的长度要适宜。如果所讲的故事包含太多细节，对方很容易失去兴趣。比如说，对方提到他们庭院里有一棵无花果树，你以前也种过一棵，而且树根还出现过问题，那你可以简要地提一下自己的经历，为接下来的讨论设定话题：“无花果树？这种树很漂亮，我们以前就种过一棵，大家都很喜欢。不过后来树根毁掉了旁边的人行道，我们只好砍掉了。你有没有遇到过类似的问题？”（注意此处是如何呈现自己的经历，同时依然将重心放在对方那里的。）

## 千万不要显摆自己

人们更愿意和自己喜欢的人建立联系。如果你和他人讨论他们关心的事情，彼此的关系就很容易拉近。想一想，那些真正倾听你的人是如何吸引你的吧。

如果你有很多恰当的问题可以向对方发问，那么对方提问时不太能够给出合适的回答也无妨。一开始可以就任何话题展开采访式的六 W。

千万不要显摆自己，非要让自己看着很优秀。一个资深的谈判专家说过，自己少显摆，多给对方显摆的机会，这是人际沟通的不二法宝。交谈中，你只需要精心准备问题，然后提问就可以了。

如果交谈的开局不利也不用泄气。任何有价值的事都需要练习，提出妥当的问题也是如此。选择一个问题，接下来的一两天不断练习，直到自己感觉很自然为止。之后每次增加一个技巧，随着一点一滴的进步，自信也会增长。

总结来说，有效的提问需要注意以下几点：

- 提一个封闭式问题。
- 然后选择新闻采访使用的开放式问题：谁、什么、哪里、什么时候、怎么样、为什么。
- 仔细倾听对方的回答。
- 重复。

你看，就这么简单！

# 压力，一种积极的沟通力量

对于有效沟通来说，压力是一种积极的力量。如果我们感觉到压力，这就说明我们正在做的事情是有意义的，是值得的。

## 别担心，你并不孤独

交谈过程中你是否有以下症状?

- 手心出汗 / 手心湿冷。
- 双手发抖。
- 胸口发闷。
- 口干舌燥。
- 声音颤抖。
- 大脑一片空白。

如果你是这样，不要担心，因为你并不孤独。事实上，每个人都很紧张。越是充满挑战，就越容易紧张。很多运动员和演员经常提到在大型赛事或演出之前倍感紧张，有些人甚至出现了身体不适。这很正常，也很普遍，对于重要的比赛或演出来说，紧张可以成为一种积极的力量——关键看你怎么处理。

当感受到压力的负面影响时，我们都希望压力消失。不过，如果所有的压力真的都消失，情况也不会好到哪里去，因为缺少具有创造力的适度紧张，我们就无法集中注意力，更无法应对人际关系中的各种挑战。

任何值得去做的事情都需要耗费能量，而适度的压力能够输送所需的能量。正如小提琴需要一定的拉力才能演奏出曲调，拉力不足，就无法演奏曲调了；拉力过大，琴弦就可能崩断。特定场合的压力和紧张也是无法消除的，如果能够恰当地加以利用，压力就会成为创造性互动能量的源泉。

## 我们为什么会如此紧张

在社交场合，压力往往来自于涉足未知的领域。你加入一个群体，群体中其他人似乎彼此都很熟悉，而你成了唯一的“陌生人”。如果注意力只集中在自己身上，你的压力倍感增加。如果能够将注意力外移，压力感就会减少。

在社交场合，我们为什么会紧张呢？

- 我们担心无人可以交谈。
- 我们担心无话可说。
- 我们担心他人觉得我们无趣。
- 我们担心没有给对方留下好印象。
- 我们担心因说错话而尴尬。

导致紧张的因素可能还不止以上这些。我们倾向于将上述因素视为消极的，因为它们往往和痛苦的经历相关。但是，如果我们认为它们是积极的，并加以合理利用，往往会收获意想不到的效果。

莎士比亚曾经说过："世上本无所谓好坏，思想使然。"压力和紧张并不是来自事件本身，而是来自我们对事件的解读。

比如，十几岁的孩子参加某项活动，家长往往会规定回家的时间。如果有那么几次，孩子并没按照规定的时间回家，家长就会有一连串的想法了，比如：

- 首先，家长会注意到孩子迟到了。
- 几分钟后，家长会觉得孩子不遵守规定，等他们回来后要好好谈谈。
- 时间继续推迟，家长开始烦躁不安。
- 烦躁不安变成了关心。
- 然后关心又变成了担心。
- 一定时间之后，开始恐慌，甚至想象最糟糕的可能。

时间越长，压力就会越大。然而如果几分钟或几个小时之后孩子回来了，家长的恐慌就会瞬间消失（当然，新的压力这个时候会登场，这要看迟到的孩子会给出什么借口）。

其实事实很简单：孩子迟到了。家长的压力是来自对于这一事件的解读。

如果能够改变思考的方式，家长就能改变自己的感受。比如上述故事中，一旦家长脑海中出现了最糟糕的可能，就很难说服自己不去担心。这个时候，家长需要分析自己的感觉，然后判断什么是真的，什么是假的。

**知识链接——积极压力和消极压力**

汉斯·塞利是较早开始研究压力的学者之一。他的研究领域涉及压力的概念、压力的作用及如何控制压力等。他认为压力主要有两种:消极压力和积极压力。消极压力是不好的，会麻痹并阻碍我们采取行动；积极压力就不错，我们会因此而充满能量，继续向前。周围发生的事情叫做压力源——压力的源头。有趣的是，压力源往往都是中性的，无所谓好坏，我们如何认识和分辨这些压力源决定了我们会做出怎样的回应。

## 分析压力：我们都对自己说了什么

压力就像是汽油，汽油无所谓好坏，如何应用是关键所在。如果出现在起居室，那就糟糕了，可对于汽车的引擎来说，却是关键所在。

那么，我们该如何做才能有效利用压力？首先，我们要分析我们跟自己说了些什么；然后，我们要采取特殊行动疏通压力。

识别我们跟自己说了些什么很重要。交谈过程中感觉压力重重时，可能会出现以下三种状况：

**（1）一味指责他人，而不是反思自己对于事件的解读。**

威廉·格拉瑟在《事实疗法》一书中写到，每个人都深受过去经历的影响。成长的环境和过程、他人的选择在一定程度上塑造了今天的我们。不过，他认为即使每个人在一定程度上都是过去的产物，但依然有选择未来的权利。如果我们选择一如既往地走下去，那么一切都不用再归咎于过去，因为这是我们自己的选择。

在交谈中，认识到我们可以改变自己的行为方式很重要。比如说，以前我们可能觉得对方说了什么、做了什么是导致交谈中断的原因，而实际上并非如此，我们对于他人所言所行的解读，对交谈的影响更大。交谈进展不顺或失败，或许确实是对方造成的，但是，我们因此而指责对方，并无任何益处，交谈依然会停滞不前。

**（2）设想出最糟糕的结果。**

在交谈开始之前，有些人就会猜想，整个过程一定是笨手笨脚、让人不舒服的。在交谈艰难前行的过程中，他们总是想象着自己尴尬的模样，对方如何拒绝自己，如何走开的。然后，他们会总结说，交谈只会暴露自己的拙劣，他们将此解读为自己的错，进而觉得自己根本无法和他人顺利交谈。最终的结论是，在交谈方面，自己确实是无可救药了，很难交到新朋友，注定要平平庸庸一生。虽然上述假设有些极端，不过，并非妄谈。因此，抓住消极的思想，从宏观着眼很重要。交谈当然有可能进行得不顺利，但是，我们并不希望这种可能成为现实。其实，交谈有不顺利的可能，同样也有很顺利的可能。如果我们沿着正确的轨道前行，和顺利相比，不顺利的可能性是很小的。对于不顺利的交谈印象深刻，是因为不顺利的交谈给我们留下了痛苦的记忆。

查克·施温道曾说过，态度决定一切，他也因此而出名。如果交谈进展不顺，我们的态度会决定我们的应对方式。交谈成功也好，失败也罢，都不单单是我们单方行为的结果，因为交谈至少在双方之间展开。基于事实的态度应该意识到这一点，因此不能把交谈的失败归咎于某一方。

**（3）认定自己的过去一定能够预测未来。**

以过去的表现来推测未来很常见。如果我一再被告知自己很害羞，以后我就会继续这么看待自己。在交谈中如果遇到过尴尬，我就会假设每次交谈都难免尴尬。

但是，因一次失败而影响整个未来是不公平的。对自己一定要实事求是，而非一味地说“我就是个失败者”，告诉自己准确的信息，例如，“交谈没有按照我预想的方向发展”，而不是“我害怕他们拒绝我，我怕自己应付不来”等类似的信息；要对自己说，“如果我没有得到想要得到的回应，那么我就应该更多地谈论对方，少说自己。虽然可能有些尴尬，但是，我觉得没问题。我会继续向前的。”

## 疏通压力：我们可以做些什么

一般而言，我们都会觉得压力是消极因素。其实，如果合理疏导，压力恰恰可以促进交谈的顺利进行。当你感受到压力时，不妨想象着自己开车进入了加油站，你往油箱里加满汽油，然后充满动力前行。

在交谈中，我们要注意以下几点：

- 注意对方说了些什么，而非时刻关注自己的感受。这个需要练习，不过，一旦你能不再担心自己的表现，就会感到自如的。
- 交谈顺利进行需要花一定的时间，要认识到这一点。这就像和一位陌生人跳慢步舞，你需要一定的时间才能掌握对方的节奏和风格。
- 认真准备。明白自己有哪些探索工具，如何使用。
- 交谈成功，不要独揽功劳；交谈失败，也不要独自担负责任。交谈的顺利进行，至少需要双方的配合，无论结果怎样，都不是哪一方的责任。

在群体交流中，我们要注意以下几点：

● 先从小范围开始。在社交场合，尝试寻找看起来友善、有亲和力或你认识的人，从这里开始。可能你会注意到在某些方面和你很像的人，比如说，穿衣风格很像，或者对方也是一个人在自助餐桌前享受鹅肝酱等等。不妨和这样的人一起交流，实践一下自己的交谈技巧。这样，你会更加自信地和他人交谈，对方也有可能将你引荐给他人。（注意：随着时间的推进，无须开启太多交谈。）

● 活动结束后，回顾你的"表现"——只要一次就够了。体育队一般都会回放前一周的比赛拍摄录像，以便弄清楚哪些地方还可以改进。对于交谈来说，这也是比较有效的。思考哪些地方表现不错，哪些地方依然需要学习，确实很有价值。

● 不要将自己的表现和在场其他人的表现相比较。如果真的这么做了，你一定会挑选出最擅长交谈的人，失落感自然难免。相反，如果你和不如自己的人相比较，就容易自负。只要用自己的标准来衡量就行了——即自己过去的表现及对于以后的期望。

如果感觉有压力，可以采用以下应对措施：

- 手心出汗——多洗手。每次感觉手心出汗，就出去洗一下。手边放一块纸巾也可以。如果症状比较严重，可以和医生联系一下。

- 流汗——采取防汗的措施。口袋里备好手绢或纸巾，出汗时及时擦一擦。也可以去卫生间处理，让自己恢复一下。

- 胃里不舒服——随身准备抗酸剂。确保不要空腹，这样不适感会加重。如果食物是引起胃部不适的部分原因，那就避免选择让自己不舒服的食物。

- 因紧张而口渴——在交谈之前，当天要多喝水。手边备一杯水，便于交谈过程中润润口，减少口干舌燥的感觉。切记过犹不及。如果谈话无聊，以去卫生间为借口是一回事；如果大家都在侃侃而谈，而你却因为生理需要一再往卫生间跑就是另一回事了。

- 大脑一片空白——在交谈开始之前，选择一些自己可以讨论的话题，记在便签纸上。尽量将这些话题记在脑海里，交谈间隙可以迅速浏览便签纸以便回顾。如果确实不知道接下来该说些什么，不妨优雅且温和地结束交谈。在再次开始和他人的交谈之前，重新看看准备的记录。

- 双手冰冷——如果双手冰冷，和你握手的人可能并不会觉得怎样，但自己肯定感觉会不舒服。人们一般都知道，不同的人体温和体质也不同，手的温度就是表现之一。在交谈的过程中尽量不要让双手放在衣服的口袋里，休息的时候可以这么做。如果可以将冷饮换成热饮，这样，双手就可以取暖了。

● 声音发颤——尝试有意放慢语速。对方发言的时候深呼吸，这样可以放松肌肉，有利于自己发言。

● 双手发抖——多数人都不会注意到这一点，除非你手里拿着纸或端着杯子。如果说话的时候双手发抖，尽量手里不要拿东西。

以上多数情况通过呼吸练习都可以得到缓解。闭上眼睛，通过鼻腔做五次缓慢的吸气，然后通过口腔呼气，控制节奏。这样你可以感到放松，注意力也会转移到呼吸之上。同时，呼吸可以增加体内的氧含量，因此整个身体也会获得更多能量，更有效地工作。

## 如何有效地掌控压力

对于有效沟通来说，压力是一种积极的力量。如果我们感觉到压力，这就说明我们正在做的事情是有意义的，是值得的。因此，我们要给予疏导。

首先，我们可以练习从心理层面控制压力。本章主要讨论准确、真实地评估所处状况，而不是给予错误的解读。如果想象着交谈能够顺利进行，且事实如此，我们会觉得特别舒心；如果进展不顺，心里就会不舒服。不管情况如何，我们都要如实对待，分析一下，将来我们应该如何做出改变。而现在，对于进展不顺利的交谈不要总是纠结，过去的事情就让其过去。

比如说，想象你马上要和某位重要人士进行一次交谈。有些人感觉很消极，想象着交谈会失败，结果就真的应验了。如果意识到有否定自我的想法，不妨停下来，问问自己，真实情况是什么，这样你的想法就会纠正过来了。

从本书以上讨论的内容来看，人们愿意和他人建立联系。那就以此为内容，展开想象吧，脑海中展现出自己和他人接触的画面。想一下如何自我介绍，想象交谈进展很顺利的情境。将这些深深镌刻在脑海里，为下一次与他人的交谈做好准备。多数时候，你会发现，积极的心理意象其实更接近现实情况。

如果事实并非像期望般顺利怎么办？花些时间仔细考虑一下原因所在。问问自己："如果再次面临这种状况，我会怎么说呢？会做出哪些改变呢？对于他们提出的问题，应该怎样给出更好的回复呢？"在脑海里再次回顾会让你受益匪浅，注意：回顾一次即可，不用总是纠结，将注意力转移到将要到来的交谈之上。过去的交谈已经无法改变，因此，切忌深陷其中。

第二，我们可以尝试从身体层面控制压力。不要总想着一切都无法改变，相反，可以实践本书前面讨论的简单技巧。很多压力症状通过呼吸练习、锻炼都可以得到缓解，并非一定都需要心理治疗。如果交谈过程中，我发现自己牙齿之间居然藏着菠菜，这种情况下，什么交谈技巧都不需要，有牙线就可以了。

第三，我们要经常练习，学会控制压力。一旦认识到控制"燃料"的价值，我们就会寻找机会不断实践。实践次数越多，就越容易。压力不会消失，我们也不想让其消失。在交谈过程中，我们可以让其成为我们的好伙伴。

# 如何应对棘手的交谈

人际关系中没有什么操控术。一切的一切，其关键还是要真诚。我们并不是要你学着如何在棘手的交谈中“获胜”，而是坦诚相对，让双方都受益。

## 总有些情况在我们预料之外

不管你的交谈水平如何，都有可能遇到不顺利的局面。有时候你可以感觉到事情在朝着糟糕的方向发展，不过大多数都是突发情况，完全在我们的预料之外。

下面，我们就看看最常见的糟糕状况有哪些，以及遇到这些状况时我们该怎么办。

**(1) 有人和你意见不一。**

如果有人突然跑到你家向你兜售新的吸尘器，换做你是那位销售者，也很难将之卖掉。无论销售者有着怎样好的口才，将吸尘器卖掉都不太可能，因为销售者是“销售”的思维模式，这就很难获得购买者的信任，所有的尝试也就难免徒劳了。

如果交谈中有人和我们意见完全不一致，或者对我们进行攻击，自我防卫并给以反驳是很自然的选择。不过，一开始交谈，彼此成为对手是谁也不愿看到的。如果有人提出了异议的观点，试图改变他们的想法通常都不太可能。如果他/她早早地将这类观点提出来，那说明他/她明显就不是“购买”的思维模式。

如果这个时候我们尝试站在他们的角度去思考，一切就会好起来，对方也会更愿意和我们交流，你也会因此获得更多的信息，了解他们的所思所想。当然，这并不是说你要赞同对方的观点，只是以更加谦卑的态度进行交谈而已。

将彼此之间的分歧视为分析自己的思考角度以及和他人观点相比较的机会。谦卑的意思是接受自己观点或考虑自己的立场未必是最好的可能。如果你能保持冷静，暂不自我防卫，仔细倾听对方在说些什么，无论对于自己的立场还是对于他人的立场，你都会有更为清晰的认识。

看看你们哪些观点一致。如果你认识到自己的某些观点确实不对或不准确，那就承认并道歉。如果在回复之前需要时间思考，就直接告诉对方。相较于被迫说些自己可能会后悔的言论，仔细思考，然后给对方发邮件才是更好的选择。

可选择的回答：“这么看问题挺有意思的。我一直都和你的想法相反，你是第一个告诉我这么看待问题的人，我想听你仔细说说你的想法。”

**（2）有人比较粗鲁。**

成人之间粗鲁的行为绝对无生存之地。正如我认识的一位年长的女士所说："他们理应知道怎么做更为妥当。"不过，有些时候他们确实没有意识到，粗鲁的行为也就出现了。一旦遇到这样的局面，一定要当心，千万不可卷入其中。对于不想规规矩矩行事的人，你一定不想与之争辩，不是吗?

可能你觉得有必要直面这种粗鲁的行为，但是，在冲突的过程中做到这一点太难了。如果对方是你的同事或某个你经常打交道的人，你会想着在恰当的时候，用温和的方式去解决。如果对方和你关系密切，这种方式也奏效，但是，如果你并不了解对方，这么做就是枉然了。

一个粗鲁的人往往对其言语带来的影响不太敏感。如果你非要给些回应，可以尝试冷静审慎的方式，比如："哎哟！"或者"你真的想要用刚才那种方式给他人留下印象吗？"如果这样的话语让他们意识到了自己行为的粗鲁，并做出了改变，你就挽救了交谈。如果没有，不妨找个理由先一步离开。交谈中，如果自己在言语上受到了攻击，离开绝对是明智的选择。千万不要因此悻悻然，因为这样的反应恰恰中了对方的招儿。只要表达自己想法结束交谈离开就可以了。如果可能，立刻开始和他人的交谈，以便自己迅速获得正面的信息，冲淡不快的感受。

可选择的回答："嗯，这真是让人不太舒服。我觉得你应该不是有意那么说的，对不对？"

**（3）对方很生气。**

如果一个人很生气或情绪激动，一般来说，他 / 她很难听进去任何符合逻辑的话语。如果你想和他 / 她说理，那只会让他 / 她更生气。这个时候，最好按照本书第 10 章所说，仔细倾听。如果你能花点时间考虑他们的感受，化解他们的情绪也就容易了。情绪一旦化解，他们就可以平静且逻辑清楚地讨论事情本身了。

同时要注意自己的情绪。愤怒是容易传染的，千万别受到传染。

可选择的回答：“你对此态度强硬，是不是？”

**（4）遇到不恰当的幽默。**

这和粗鲁其实属于一类。选择不恰当的幽默，不仅不会对交谈有助，反而会让交谈变得更糟。可能大家都觉得不太自然，但是，没有人会开口，这个时候你要不要说些什么呢？

如果对方和你关系紧密或者你认识，你可以提醒他 / 她——最好在交谈结束后，选择一个恰当的时机。如果你并不认识对方，说话的时候要注意自己的措辞，一方面要提醒他 / 她刚才的言语不当，另一方面不要给他 / 她受到指责的感觉。

如果对方毫不领情，继续我行我素，你可以直接离开，这也能表明你的立场和态度。不要觉得非得纠正对方的行为不可。他们的行为并非一朝一夕形成，纠正也不是瞬间就能完成的。如果你真的认为有必要和他们谈谈，要注意措辞和时间。记住，你的目的是让对方注意到他们的言行，而不是给予纠正。如果你所说的话让对方觉得是批评，就不会起到任何作用了。

可选择的回答:“哦，这个有些尴尬。我觉得我们可以换个话题。”(或换个时间再谈)

**（5）对方不停地批判你。**

如果有人批判指责你,可能你会觉得很受伤。怎样处理才最为妥当呢?

- 不能直接忽视——这样你会受到伤害。
- 不要假装没有发生——这样对方会肆无忌惮。
- 不要为他们的行为找借口——这样对谁都无益。
- 不要以牙还牙——这正是对方所期望的。

相反，要保持冷静，想一想他们为什么突然批判你。考虑细节，你就能够准确评价对方所说了。或许有些内容并非没道理，如果真是如此，那就接受。最简单的做法就是认同对方观点中正确的部分，虽然可能与你的观点不同，也没有关系。不要花大量时间和精力让对方信服自己错了。如果他们认为自己是对的，当时就不可能听得进任何人的话。

一个公司雇用我给其员工举办研讨会的时候,我就遇到过这样的情况。

我对某地理概况进行补充，那个地方恰是另一位训练员工作的地方，他知道后就不太开心。

我们未曾谋面，他公然在公司里指责我，告诉大家不用太久我就会遭遇失败，我在当地的公司不可能获得和他一样的名誉。我知道后没有反驳，反而是举起了木钉和白布做成的“小白旗”，直接投降。我在“小白旗”上写了些东西，承认他在当地非常有名，也是全国范围内研讨会专家（这确实是事实）。我告诉他我想要和他合作，而不是竞争，我盼望着和他在同一地区成为合作伙伴。然后，我将这个“小白旗”投递给了他，几天后就接到了他的电话，因为他的偏见而向我道歉。他坦诚的态度让原本紧张的气氛避免升级为一场冲突，一切都云淡风轻了。

可选择的回答：“我真的想知道你为什么会如此情绪激动。你能否告诉我，你对我的处境有什么样的看法和担心吗？”

**（6）有人频频抱怨。**

有些人习惯于消极悲观。久而久之，他们根本不在乎玻璃杯是否有“半杯水”了——他们只会抱怨杯子的大小。

一次交谈不可能改变这些人的习惯。消极悲观的态度并非一朝一夕形成的，而是日复一日的结果。因此，想要改变，也要一定的时间。如果遇到这种情况，最好的解决办法可能就是选择一个恰当的时机，很随意、很自然地和对方聊一聊，问问他 / 她，像他们那样消极悲观的情绪会给他人带来哪些影响，对人际关系会有怎样的损害。如果不是真正关心对方，这样的方式也不会有效，因为对方会觉得你只是在意纠正让你恼火的事，并不在意你和他们的关系。

可选择的回答："我们下周一起喝杯咖啡怎么样？我正有些事情想和你聊聊呢。"

**（7）有人给你施压。**

偶尔你会发现有人总想着改变你的行为。可能他们觉得如果你参加了某个组织，或者改变一下发型、买只宠物，你就会更快乐。和他们说理，往往都是徒劳，因为他们似乎下定了决心。这个时候，不用同他们争执，只要简单温婉地回答即可。比如说："不，谢谢。我不想那样。"如果他们还是咄咄逼人，你也不用和他们争论，只要坚持自己的想法就可以了。无论对方给出怎样的依据，你都以不变应万变。当得知你的观点无法反驳，你不会改变自己的回答时，他们就会放弃。

可选择的回答："不，谢谢。我不打算参加。"

**（8）有人喋喋不休。**

有人说起话来无休无止，这个时候你会发现插句话都很难。不多久，所有的努力都会让人感觉痛苦。这时，要么借机离开（他们很可能根本没注意到，因为他们只顾忙着说话呢），要么抓住他们所说的内容，提出新的问题，将交谈引向新的方向。如果尝试几次之后，依然无用，就直接离开。不要浪费自己的精力。

可以选择的回答：“你的观点很棒，这让我想起了……”

**（9）有人总是插嘴。**

偶尔插嘴是可以理解的，但是，如果有人总是插嘴，打断你正说的内容，将交谈引向新的方向，你该怎么办？

举起手，直接说：“请等一下——让我把我的想法说完再转变话题。”如果情况还是没有好转，他们还是不愿倾听，那说明他们更愿意一个人唱独角戏，不愿和他人交谈。这就是结束和他们交谈的信号。记住独白和交谈完全不同。独白只需要一个人，因此，不要因为离开一个愿意独白的人而感到不安，对方并不需要你的配合。

如果有人走上前来，打断了你们正在进行的交谈，不必理会，全神贯注于自己的交谈就可以了。对于新来的人，给予认可，但是也要设定边界。如果有人过来从你的盘子里拿走吃的，你肯定不会允许，同样，有人直接将他人的注意力偷走，你也不应该听之任之。

可选择的回答：“稍等——如果我没有说完，一会儿就忘了。请让我先说完。”

## 真正将对方放在你心上

注意一点，人际关系中没有什么操控术。一切的一切，其关键还是要诚实，真正对他人感兴趣。我们并不是要你学着如何在棘手的交谈中“获胜”，而是坦诚相对，让双方都受益。任何别有用心的伎俩都不利于交谈的顺利进行。

你无法控制对方的选择，只能控制自己。如果情境比较紧张，你尝试温和且有效地去解决问题，而对方根本无视这些，那就不必再继续了。体面地找个借口走开。

最近，我在健身房的更衣室里看到壁挂式电视正在播放有争议的新闻。在场的一个人说道：“真是个混蛋！”接着，他愤怒地评论着这则新闻，强硬地表达自己的立场。我当时毫无准备，不知该说些什么。走出更衣室的时候，我还在想，这样的场面我该说些什么才合适。后来我意识到，其实对方根本不需要我的观点，他只想表达一下自己的想法而已。

现在回想起来，当时自己一言不发也是不错的选择。不过，如果遇到这样的场合，能够稍加回应，也应该有一定的价值。比如，“挺有趣的观察发现”或者“为何这么说呢？”我不必表达赞同与否，只要倾听就可以了。如果没有别的可说，我可以直接体面地结束谈话，然后走开。

交谈之道与其说是科学，不如说是艺术。没有什么完美的做法，只有真正在意对方，将对方放在自己心上，才是控制局面的最佳工具。

# 战胜交谈拖延症

相信很多人都这样的经历，明明谈话难以为继，而且似乎双方都已感受到，可话题还是不得不持续下去。为什么会出现这种让人沮丧的拖延呢？

## 为什么会有交谈拖延症？

在交谈过程中，我们往往会将更多的精力放在话题的开启和维系上，比如，如何克服最初的犹豫，如何接近对方，如何整理思路，如何选择正确的话语，等等。如果我说，结束交谈才是最为困难的部分，恐怕很多人都会感到惊讶。

相信很多人都有过这样的经历，明明谈话难以为继，而且似乎双方都已感受到，可话题还是不得不持续下去。为什么会出现这种让人沮丧的拖延呢？

下面我们就分析一下拖延本该结束的交谈的原因所在，以及如何战胜“交谈拖延症”。

本该结束的交谈之所以拖延，是因为双方过于关注如何维系交谈，从而忽略一些交谈应该结束的信号。是什么因素让我们忽略了这些信号呢？

● 思维盲点。我们往往习惯将事态做正常化处理，认为既然还没有出问题，就无需修护。这是每个人都有的思维盲点。

● 碍于情面。不管交谈多么不顺，我们都不愿让自己显得无礼。因此，遇到无所适从的局面时，大家往往只能深陷其中，无力脱身。

● 担心错过。如果在感觉舒适的时候停下脚步，不就错过了探索他人阅历的机会了？其实，再顺利的交谈，也会朝着结束发展的。最佳的结束时间是进展顺利的时候，这样彼此都意犹未尽，还想着改日继续。

● 交谈失控。一般而言，多数人刚刚见面都会问：“你周末过得怎么样？”回答一般是，“不错，你呢？”但有时候，人们也会喋喋不休，甚至会花十多分钟叙述自己的周末，包括你根本不想听的细节。如果你遇到了这种情况，就很难从中抽身。但是，如果人们在专注地剖析自我，我们肯定不愿意让对方觉得自己漠不关心（虽然事实就是如此）。

最近，我给两位多年没有联系的朋友分别发了电邮，信的内容只有短短几句，主要询问这些年的大致情况及最近在忙些什么。两个人无一例外，回复都是长篇累牍，详细描述了过去几十年发生的事情。我能够感觉到他们很渴望被倾听，一旦找到了目标，倾诉的闸门就打开了。

我的第一反应是，幸好没有当面和他们聊天。不过，这种反应很快让我有些内疚。还好，我并没有表现出无礼或漠然。

## 没有真正完美的交谈

有时候，如果交谈不顺利，我们就容易感觉不够成功。但是，如果唯一的标准是“完美”，那么，每次交谈都会让人失望。

为什么？交谈是一个动态的过程，每次与他人的邂逅都是不同的。对于自己的话语，我们可以尽量谨慎，但是，我们无法控制对方的言行。每次交谈都不一样，有些明显更好。如果只用“完美”这一项标准来衡量所有的交谈成功与否，就不切实际了。相反，我们应该把每次交谈看作是独一无二的人际互动，在这个过程中我们可以磨炼自己的交谈技巧，对他人的生活阅历有新的认识并丰富自己的经历和经验。

不可能每次交谈都“很棒”，牢记这一点。这很正常。对销售人员而言，被拒绝也是他们工作的一部分。他们从被拒绝中学习，这样以后的努力才有方向和根据。交谈不顺利并不单说明你的表现不好，它和对方的表现也有很大关系。毕竟，我们无法用他人的表现来评估自己的能力。

举个例子来说，你已经尽了最大努力，可对方还是没什么反应，出现这种情况可能是因为他们比较害羞，也可能是没有类似的生活阅历与你分享。这个时候如果继续下去，你会很沮丧，对方也会很尴尬。因此，最好的解决方法就是礼貌地终止交谈，用正面的语言鼓励对方，然后各自离开。

如果交谈进行不顺，结束交谈很正常。这就是我们要事先思考结束交谈策略的原因所在。

## 如何恰到好处地结束交谈

结束并不一定总意味着很糟糕，再顺利的交谈也有结束的时候。那么，我们应该如何优雅地结束交谈呢？

其实，只要你在开始时明确自己前行的方向，以及想要达到的目的，那么交谈就更容易圆满。

这就像车载 GPS 全球定位系统。根据卫星数据，GPS 全球定位系统确定你当前的方位，然后指引你到达想要去的地方。如果中途某处转错了弯，GPS 全球定位系统会“将错就错”，在你当时所处的地点制定新的路线。

交谈也是一样。如果你对交谈的目的很清楚，那么对话中如果出现偏离的情况，你就能够及时将其拉回来。交谈的目的可能包括以下几种：

- 结识新朋友。

● 了解新信息。

● 为了业务目的交流。

● 出售商品或服务。

● 享受和他人的交流互动。

● 说服或激励某人。

一旦明确了自己的交谈目的，不妨尝试以下方式让交谈体面地结束：

● 转移话题。记得我小时候，柔道是大家惯用的防身技能。因为柔道并不需要练习者有多么健硕的体格，只要学会借力打力、转移力道就可以了。交谈中，如果对方强行将话题维持在不愉快的道路之上，你可以将之转向其他方向，然后重新控制局面。记得最近在健身房更衣室，我旁边那个家伙看着壁挂式电视，对当时正在播放的某条新闻评论不休。他的强势让我有些不舒服，而且我觉得自己无法反驳他的观点。于是，我试图将其评论引至新的方向:“是的，似乎最近有很多类似的让人沮丧的新闻故事。最近一次你看到鼓舞人心的新闻是什么时候？”他的语气完全变了，开始回答我的问题，而且根本没有意识到他的话语已经改变了方向。

● 去粗取精。想一下交谈中最有趣的部分是哪些，回顾一下，然后体面地结束交谈。比如说，“我之前从来没有跟蹦极的人交流过，我以为自己不会去尝试，但是，今天听了你的经历，我觉得真是太棒了。今天晚上我还想再认识一些人，所以，我得告辞了。很感谢你和我交流——预祝今晚过得愉快！”这种总结直接、体面，而且没有留下任何商榷的余地。你已经简要表述了自己要做的事，也给了对方鼓励。

● 坦诚相告。如果你在交谈之前就很明确自己的目的，不妨以此作为结束交谈的合理工具。简单地告诉对方，你接下来要做什么，要去和谁交流，要去哪里，要看什么。这样对方就会明白结束交谈是因为你的任务还没完成，需要继续，而不是逃避他们。

● 换位思考。在交谈过程中，让对方知道你正在为预期的目标努力，并邀请对方参与进来帮助自己实现目标。这样不仅可以实现换位思考，还可以让对方有参与的成就感。比如说，你可以这么问：“你是否认识从零开始创办小企业的人？我正在做相关的调查，想见一见有相关经历的人。”如果对方恰好了解该领域，你就可以全面探索了。如果没有，他们也会乐于向你引荐更合适的人选。如果他们确实不认识这样的人，你可以请求对方谅解，然后结束谈话。

● 灵活机动。下一次置身社交场合的时候，可以巧妙利用群体交谈中的动态变化脱身。注意观察一下一小群人在一起会讨论些什么。如果有一两个人新加入到这个小圈子，那么原来的人当中就可能有一两个借机离开。你不妨趁机悄悄离开，这个时候大家往往很难发现。

● 移花接木。如果在社交场合你已经和几个人交流过，不妨充当主持人的角色，让其他人彼此认识。指出他们有哪些共同的兴趣爱好，以便于他们开始交谈。当他们注意到对方，开始交谈之后，你就可以借机礼貌地离开了。因为你的引荐，他们彼此开始交谈变得容易多了，因此会心存感激。当然，你也可以继续自己的事情了。不过，要确保这么做的动机要合理。如果你只是为了摆脱某位无聊的人，那么，将此人引荐给别人，给别人带来麻烦，你也会遭厌恶的。

几乎每天我都会使用这一技巧。研讨会的与会人员到达会场时，我会花几分钟的时间了解他们。如果发现其中有哪两人刚好住在同一地区或在同一领域工作，再或者有其他共同点，我会介绍他们彼此认识。其实这并不是什么巧妙的操作，无非是扮演了非正式的主持者，促进交谈的进行而已。

一般来说，人们会深刻记得第一印象和最后的印象。因此，我们要重视交谈结束的时候。既不要拖拖拉拉，也不要悄无声息。比如，和对方握手，有眼神交流，做个总结发言，说一下这次交谈中你的收获，具体如下:

- “嗯，和资深人士聊一聊真是很不错。谢谢你。”
- “感谢你与我分享你的观点。现在我需要回去好好消化一下了。”

…………

隆重的结束不仅给你带来圆满的感觉，对方也会满意而归。一定要把服务他人作为自己的目标，在相互交流一段时间之后，交流的双方都会感觉良好。

# 学会记笔记，为人际关系加分

记笔记不仅不会说明你的记性差，还会给你的人际关系加分。当对方发现你还清楚地记得上次交谈的内容时，他们一定会很感动，因为你用心倾听了。

## 学会为再次联络做铺垫

营销专家们深知，留住现有客户比开拓新的客户要容易，耗费要小得多。人际关系也是一样。和已经熟悉的人交流更为容易，也更容易给双方带来满足感和成就感。

不过，大多数都认为，交谈结束各自离开之后，人际沟通就结束了。不管是哪种性格的人，大家只会把精力投入交谈之中，从而忽略了跟进价值的所在。外向的人总想着尽可能多地和不同的人交流，他们会将精力放在开拓新的矿藏上，往往忽略了在同一矿藏挖掘更多的财富。内向的人则更愿意维持几段深度交往的人际关系，即便如此，也很少有人关注信息整理。

初次交谈时，你可以挖掘一些信息，以便将来和对方联系时使用。交谈之后，你可以迅速梳理获得的信息，以便快速存取。

和他人互动的时候，问问自己，你是否想和对方再次联络。如果答案是肯定的，不妨在交谈结束之前为再次联络进行铺垫：

● 请记住，初次交谈就像剥洋葱，第一次见面只要剥开洋葱的一层即可，这样，第二次见面也就不会显得唐突了。

● 如果对方表达了对你的欣赏和肯定，你一定觉得和对方亲近不少，甚至多年后肯定的话语依然铭记于心。鼓励总是很受用，这是人性使然，因此，在交谈中不妨诚恳地给对方以鼓励。谈一谈你欣赏他们哪些特征，比如，性格特点、整体风格、成就等。如果你的赞赏很真诚，那么，对方就不会排斥和你再次接触。

● 关注彼此生活经历的交集和你们讨论过的话题。这也是以后再次接触最可能的原因，因为你们双方对这一领域都有兴趣。你会从这里慢慢进入对方的世界，彼此的交集会慢慢变大，进一步的探索和交流也就有了肥沃的土壤。

● 在交谈中重复对方的名字。人们一般听到自己的名字都比较舒心，这也是迅速将两人联系起来的一种简单方式。当然，过犹不及。如果太过频繁地使用对方的姓名，就显得矫揉造作了。

● 倾听对方，从对方的表述中找寻提示，看看对方更喜欢什么样的交谈方式。如果他们一再提到和他人电话交流，那么，几周后给他们打个电话，提及这次交谈，他们就不会抵触或反感。如果他们时不时说到收邮件，可能是让你知道，他们更喜欢和朋友邮件往来。可能这并非你喜欢的交往方式，但是，对方却很喜欢。按照对方的性格特点与其交谈，而非我行我素，信任会因此建立。

- 记住对方的兴趣和爱好，并以他们喜欢的方式提供更多信息。这样，他们会愿意和你再次会面。

- 如果你们是在定期举办的会议或社交场合交谈，询问一下他们下次是否还来。在日历表的记事栏大致写下对方的名字和关键信息，这样，在下次见面之前你就可以稍微准备一下了。

- 建议一个双方都感兴趣的活动。尽量不要尝试交谈中没有提及的活动，活动要尽可能简单。较之于一起进餐或去剧院，人们更愿意在星巴克聊聊天。

- 即便被拒绝了也没关系，不用追问为什么，只要感谢对方，然后结束彼此的交谈就可以了。第二天可以发一条简短的信息表示感谢，例如“昨天很高兴认识你”等等，以此保持联系。

如果你是受邀一方，遇到自己不喜欢的方式，回应时一定要积极。

研讨会结束后，经常有人问我可不可以给我打电话，他们想和我讨论一些观点。作为一个内向的人，我觉得电话交流真的非常耗费精力。知道这样的提议会经常出现，我会预先念一份简单直接的回复：“我很乐意和你一起探讨你提出的问题。最好发电邮给我，这是我的邮箱地址。如果你愿意给我发邮件，我很乐意通过电子邮件和你交流。”这样的回复不光直接也很积极，而且没有留下任何协商的余地。

## 学点笔记术，为你的人际关系加分

如果你真的发现了一座巨大的钻石矿藏，那么一定要尽力确保能够再次找到。同样的道理，在交谈之后，最重要的事就是整理思绪，为再次交谈做好准备。

你或许会问，要不要做些记录呢？多数情况下，回答都是肯定的。写下你了解到的内容，探索他人的生活阅历，这就是为再次交谈做准备的最好方式。整理自己获得的信息，以便于下次和对方交谈时能够很容易地回忆起关键点，自信地应对。

“可是这样听着很做作，明显故意为之。如果我真的在乎一个人，我会记得他的相关信息的，根本不需要写下来，不是吗？”

大家都觉得阿尔伯特·爱因斯坦是世界上最聪明的人之一。一次，一位记者向他要电话号码，爱因斯坦直接找出电话号码簿，查到电话，然后写了下来。当被问及为何不记得自己的电话号码时，他回答说，“既然知道在哪里能够找到，我为什么还要记住呢？”他把精力节省下来，用以处理更为重要的事情。

我们中多数人都会这样：和某人有过详细交谈，然而再次交谈的时候，之前的细节什么都想不起来了，因而倍感尴尬。如果第一次交谈之后稍作记录，再次交谈之前就能够回顾一下了。

记笔记是一种非常简单有效的工具，有助于我们完成重要任务。还有一点，记笔记不仅不会说明你的记性差，还会给你的人际关系加分。当对方发现你还清楚地记得上次交谈的内容时，他们一定会很感动，因为你用心倾听了。

可能你会问：“明明是刚刚查看的东西，却假装自己记得，这不是不诚实吗？”当然不是，因为你并不需要掩饰自己的处理方法，如果对方问及你是如何记得的，只要告诉他们真相就可以了。你能够记住这些信息，他们会非常感动，而不会在意信息是来自你的大脑，还是你的记录。

就记笔记而言，我会非常坦诚。当把一年前的交谈内容细细说来、如数家珍时，对方通常会惊讶至极：“哇！你的记性太好了！我真的很感动！”而我则立马纠正说：“不用！不用！我不过是记录了当时的细节而已。”其实，结果都一样，彼此的交谈也就在良好的开始之后顺利前行了。

每年我的生日之际，和我共事过的一位女性都会给我留语音邮件，祝我生日快乐。我们并不经常见面，但是，过去的十二年里，她一直很真诚地坚持着这种做法。我知道她手头一定有一份联络清单，就算是这样，我也没觉得哪里不对。不过，去年，她的语音邮件迟到了一周，现在我还记得当时自己多么失落，直到收到邮件后，我的心情才好了一些。当问及原因时，她很坦诚地答道："我的那份联络清单改动了，和之前的略有不同，所以，耽误了一些时间才给你留语音邮件。"听到这些，我还是觉得挺感动的，因为我知道她在这个事情上确实花了时间和心思。

不管你选择哪种方法，请确定所选方法适合自己，而且还要简单。你可以把每个人的信息记录在册，然后按照字母顺序排列开来。不要按照日期记录，因为如果和某人交谈的时间太久远，你也很难记得具体的时期。但是，按照字母表排列就不一样，一旦他们打电话，说出自己的姓名，你就可以迅速找到了。

有些人会选择索引卡，还有人会在个人主页上做记录。"Outlook""Lotus Notes""ACT"等都有在联络簿中记录信息的功能。和他人交谈之后，简要记录下你们讨论的关键信息，包括：

- 家庭信息。
- 特殊兴趣。
- 重要事件。
- 业余爱好。
- 重要日期。

- 你们讨论的一致之处。
- 工作年限。
- 居住地。
- 出生地。

我有一个小夹子，里面是笔记本一半大小的纸张，我把每个人的联络信息写在上面，然后按照字母顺序排列纸张。如果有人给我名片，我就把名片钉在记录他信息纸张的最上端。这个笔记本一直在我的书桌上放着，如果有人打电话，我能够立刻查到相关的信息。如果要和某人一起共进午餐，我就可以在出门前翻看一下与之相关的信息了。

最近，我开始在“Outlook”网站上使用联络簿，至于要不要把手头记录的信息转移到这里，我还没想好。只要在必要的时候能够找到信息，什么方式倒是不那么重要。

交谈结束时，双方可能会交换名片。如果可以，稍微花些时间在名片背面简要记录一些信息。一段时间后，你可能会记得某个人，但未必记得谈话的所有细节，所以作记录是十分必要的。

几年前，在一次和霍华德·亨德里克斯博士的接触中，我对此深有感触。我俩交谈几周之后，我收到了一张便条，上面写着：“我发现你的名片在我的兜儿里。我知道，是我主动向你索要的，因为我要给你寄东西——可是，现在我记不得要给你寄什么了。通常情况下我都会随手记下来，但当时我却忘了。我需要给你寄什么呢？”虽然对方忘了，可我一点儿也不觉得难过。相反，我感觉很欣慰，因为我知道，他肯定花了很长时间回忆，而且想要履行自己的诺言。

**只需要短短几分钟**

看起来在交谈之前以及交谈之后，我们需要花很长时间，付出很多努力。其实不然，我们需要的只是短短几分钟，只要这几分钟，交谈就可以从头开始。返回到同一座钻石矿藏需要时间，但是，这种付出绝对值得。多数人都忙着寻找新的矿藏，而不是为已有的矿藏做出努力。

我的意思并非让你将所有的联系人罗列在电子表格中，机械化地操作这一过程。我们要做的只是在交谈前后各花几分钟的时间来整理信息，这样，交谈的影响就可以最大化。花时间思考整个过程才是让交谈成为令参与各方都满意的关键所在。

# 第14章

# 移动互联时代的沟通技巧

今天，电子邮件、智能手机、社交网络已经成了很多人的标配。这种沟通方式看起来很高效，因为从交谈开始到交谈结束，都没有任何人离开。不过，要知道，高效和有效是完全不同的两个概念。

## 移动互联的时代

20 世纪 60 年代，我的父亲在一家航空公司工作。他们公司每年都举办家庭招待会，这样我们家人就有机会看看平日里父亲是怎么工作的了。他们公司真的都是高技术作业（在当时来看），我们跟着讲解人员参观公司的设备。让我记忆最为深刻就是看到那台名叫“电脑”的东西，它有一间屋子那么大，发出了一排闪烁的光，还有会旋转的带子。当被告知它的功用时，我记得我都惊呆了。

在当时，“电脑”可谓是最为先进的设备了。工人们会使用长长的矩形打孔卡给“电脑”输入数据。很明显，每个人都觉得这就是未来的科技。

与此同时，在菲尼克斯市中心附近，一座办公楼正在建设之中，它也代表了当时最为先进的科技。这栋楼就像是弯曲的电脑打孔卡，窗子的设计就像是卡孔卡上一个个的孔。直到今天，该楼依然存在，有意无意成了一个时代的象征。

今天，电子邮件、智能手机、社交网络已经成了很多人的标配。手持智能机或平板电脑，就可以在会场安静地交流。这种沟通方式看起来似乎很高效，因为从交谈开始到交谈结束，都没有任何人离开。

不过，要知道，高效和有效是完全不同的两个概念。比如说，人们通过智能手机回复邮件，将它们从“待办事项”中清除似乎很容易。但是，这些邮件并非件件重要，即使我们迅速回复，我们也很可能因此错过更为重要的任务。我们将重心放在了“正确处理事务之上”，却忽视了“处理正确的事务”。高效就是“正确地处理事务”,有效就是“处理正确的事务”。

在这个移动互联时代，人与人之间的交流更为便捷了，然而，方便并不等同于有效。我们都有过这样的经历：和他人电话交流，脑海中会形成视觉画面，可是，当见到对方时，却发现真人和我们想象的样子完全不同。

我们已经知道，人际沟通中只有 7% 的信息是靠有声语言传递的，其他则通过我们的语音、语调及肢体语言来完成。电话交谈时，我们无法使用肢体语言，因此，语音语调、词语选择就尤为重要了。而在电子邮件及社交网络中，我们能够利用的就只有那 7%。

在今天这个移动互联的时代，越来越多的人将人际沟通建立在这 7% 的信息之上。没有了另外的 93%，我们人际关系将会面临问题。

现代科技给我们带来了前所未有的便利，同时也给我们带来前所未有的挑战，我们要更有心，用不同于以往的方式认真应对。不管我们采取何种方式，目标都是一样的：通过有效交流，增进彼此的信任。

随着时间的推移，人际沟通的方式也会越来越多样化，但是，不管何时，都不要忘记面对面交谈的重要性。毕竟，人际关系中真正重要的是人，技术不过是加强人际关系的工具——仅此而已。

移动互联时代的交流方式多种多样，比如：电子邮件、社交网络、网络论坛、新闻群组、即时通讯等等。我们主要关注以下两大类：书面交流（电子邮件和其他电子交流设备）及口头交流（电话或语音邮件）。

## 电子邮件沟通技巧

电子邮件刚刚兴起的时候，多数人都觉得电子邮件太随意，不可能取代传统邮件。写信、装信封、贴邮票，这些都要花时间，可这也恰恰是传统邮件魅力所在：说明了你对收信人的重视。

然而，随着社会节奏不断加快，人们最终还是接受了电子邮件。对于个体和组织机构来说，速度上的巨大突破都是极大的利好。相比较而言，电子邮件有以下优点：

● 电子邮件可以用更少的时间、更为频繁地保持和他人联系。

● 一天之中，任何时候都可以进行电子邮件书写和阅读，时区的障碍荡然无存。

● 传递几乎在瞬间完成，世界各个角落都涵盖在内。

- 节省邮费。
- 收信人无需将你所言记录,因为一切都是书面的。和纸质信件不同,收信人如果需要在其他地方使用电子邮件中的内容,只要进行复制和粘贴即可。
- 有些人通过书面的方式更容易表达自我,因此,电子邮件是准确表达思想和感受的良好方式,当然,传统邮件也有这个优点,但是,电子邮件在速度和效率上明显更胜一筹。
- 平时不常接触的人,通过电子邮件也可以直接取得联系,比如说:某个组织的首席执行官。

就这样,电子邮件不仅为大家所接受,而且成了喜闻乐见的沟通方式。但是,电邮的缺点我们依然无法忽略:

- 你无法看到对方的面部表情和肢体语言,而这些恰恰占了整个交流信息的93%。
- 如果只看对方所写的字词,很容易误解对方的意思。
- 因为方便快捷,人们可能就容易过于依赖电邮,忽视了面对面的交谈。对于本身就害羞的人来说,这更是雪上加霜了。他们通过电子邮件交流得越好,越没有动力提升面对面交谈的技巧。
- 写作时,人们可以弄虚作假,因为你看不到对方的任何言语提示。

电子邮件因其潜在的高频度更会强化这一不准确的意象。

● 对于孩子来说，电子邮件和短信比阅读更为刺激，但是，后者恰恰是拓展其想象力的有效途径。

● 你在电子邮件中随意写的内容可能就是永久性的，也可能会被广泛传播。

对于相对安静的人来说，这些缺点尤为严重，因为通过电子邮件看不出任何非言语的提示，读出对方的真实反应就更难了。

利用电子邮件交流时候，需要注意以下问题：

● 邮件内容尽可能简洁。标题或正文的第一句话中写清楚你的目的，以免对方花费大量时间才能找到关键信息。

● 遵循黄金法则：面对面不愿意说的话，网络中也不要说。

● 尽可能仔细地检查和编辑你的文本。要记住，现在能够给对方留下印象的只有你的文字，面部表情、肢体语言都帮不上忙。一旦点击了“发送”，你就没有机会检查了。

● 慎用缩写。虽然邮件中缩略词、缩写是很常见的，但是，如果收件人完全读不懂你的缩写就麻烦了。比如说，LOL （大声笑出来），BTW（顺便说一些）或 EOM（就此止笔）等。

● 不要转发笑话或故事，除非你确定对方想要收到这些。如果他们真的喜欢，也不要直接将已经转发多次的内容再次转发，可以将笑话或故事本身复制粘贴，然后附上自己的观点或评论。

- 没有对方允许的情况下，不要发长篇大论。如果对方对于该话题并不感兴趣，你这么做就太冒失了。以前有一位律师，让我写一些法律文书，后来，他每个月都给我发长长的邮件，全是关于他的政治观点。虽然我赞同他的观点，可以为我会封封必读、字字必看就是他的不妥了。(他让我为他的时间买单，难道应该这么做吗？)

- 在一些特殊的场合，应避免使用电邮和电子卡片。比如说婚礼，多数时候，婚礼还是寄送传统的贺卡比较好，而且致谢卡也要亲自书写才能表达对对方的尊重。

- 商务信函和私人信函一定要分清。没有和收信人建立友谊之前，商务信函一定不能过于随意。不同人喜欢不同的风格，无论正式还是非正式，都要视人而定。这就是本书一再传递的信息：了解他人的性格，以此作为和他们沟通的基础。

- 群发邮件的时候，要确保你已经隐藏了第三方的地址。否则，群发邮件收件人一栏的每个收件人都可以看到其他人及他们的邮箱地址了，这种行为在某些人看来无异于失信。

- 在邮件中尽量避免幽默。幽默包含说话的口吻、时间选择及面部表情，需要这些因素配合才能达到幽默的效果。

- 不要让网络交流取代了面对面的交流。

● 不要在电邮上面花太多时间，千万不要因电脑和智能手机的束缚，生活变得单调而乏味。

## 社交网络沟通技巧

使用社交网络的人群相当庞大。曾经喜欢电子邮件交流的人现在更喜欢发微信、在推特网站发微博或其他即时交流的方式，这样他们就无需等待他人回复及查收了。如果对方有手机，他们就能立刻收到信息。

使用“脸谱”等社交网络，就如同参加了一场社交活动。这里有很多从未谋面的人，也有一些比较了解的朋友。某种共同的背景让大家走到了一起。社交网络要遵循一定的礼节，我们前文讨论的交谈规则也同样适用于这种网络论坛的交谈模式。最大的不同就是因为交流只限于文字，着装等不再重要，即使穿着睡衣睡裤也没有关系。

如果认为社交网络和社交活动、派对等并无两样，就知道如何利用社交网络交流了。我们不会走进一个聊天室，直接介绍自己，相反，我们会先观察一下大致情况，然后确定从哪里开始。举个例子，如果准备对某个博客帖子进行评论，我们不应该直接闯入，毫无顾忌地谈论看法。正确的做法是先“听听”他人怎么说，他们在讨论些什么，然后再加入讨论，做出相关的评论。其优点是有时间仔细思考，在发表看法之前，你还可以增删或编辑一下。在面对面的交谈中，如果我们能够对自己所说的内容进行编辑、不妥的直接删除不也很好吗?

在网络聊天室或论坛中，不要忘了你是和真人聊天，而且是即时聊天，这一点和面对面交谈没什么两样。因此，要谦卑、有礼，而且要不乏幽默感。对他人所言也要给予确认，这也说明你在仔细倾听。在交谈中轮流发言，话调、语速都要适中。

准备从某聊天室离开时，不要突然消失。就和面对面交谈一样，先表示感谢，然后大致表达自己很享受和大家一起共度这段时光，期盼下一次的交谈，然后道别。如果你希望给他人留下好印象，就不要不辞而别。

## 电话交谈技巧

电话交谈已经有些年头了。我们总觉得电话交谈并不陌生，也知道如何通过电话交谈，不是吗？可事实并非如此，大多数人恰恰有些不好的电话交谈习惯，这些习惯阻碍了交谈达到最好的效果。

首先，我们先说说使用电话的目的：和他人取得联系。电话中和他人交流就像面对面交流一样，唯一的不同就是我们看不到对方的面部表情和肢体语言。因此，我们所说的话、说话的口吻变得尤为重要。

在电话交谈中也要使用黄金法则：你希望他人怎么对待你，你就应该怎么对待他人。以己推人，考虑他人的处境和感受。如果整个交谈过程中你喋喋不休在发表看法，他人会有怎样的感受？

准备和对方通话时，我们通常会因担心打扰对方而迟疑不决。其实不用这样，你可以在每次电话交谈开始时先问问对方是否合适通话，如果不合适，另约合适的时间。这是对他人的尊重，也会让你在交谈过程中得到放松。在和他人通话之前，我会先发电子邮件，约好对彼此都合适的时间。这样，我就不用再担心时间不合适等问题了。

电话交谈也应和面对面交谈一样，要尽可能周到。一种方式就是每天更新语音邮件的问候语，让打来电话的人感觉到你很开心收到他们的信息。有一位朋友，他的语音邮件是这样的："我是马克。今天是 7 月 19 日，下午 3 点之前恐怕我都没空儿，我会稍迟一些查收信息，明天午饭时间给您回复。"听到这些，我就不会因为没有立刻收到对方的回复而担心了。这足以看出他的细致有礼。

电话中人们看不到你的手势语或面部表情，因此，你要尽可能通过语音语调来弥补。时不时给出"哦""啊哈""很有趣……""你详细说说"等回应，这样对方就知道你在倾听。如果他们一直在说，而你却沉默不语，这就像面对面交谈时，一方说话，一方空洞无神地坐着一样。

可以尝试一个试验：和一位朋友面对面交谈，你们都站着，而且背对彼此，看不到对方的动作和面部表情。注意这种情况下彼此的不适以及如何才能有效沟通。这就像电话交谈一样，通过这个试验你就会留意电话交谈中的细节了。

电话交谈中使用对方的名字可以让对方感受到温暖。使用频率稍微高于面对面交谈，这个就像面对面交谈中微笑的表情及温暖的握手一样，有利于双方建立起联系。不过，如果使用对方的名字过于频繁，对方就会觉得很虚假，因此，过犹不及，一定要适度。

不要担心语音邮件，也不要躲在其后。对于比较健谈的人来说，留较长的语音邮件是不错的选择。在留语音邮件之前，要仔细加工。大致列出你要说的条目，然后给出必要细节，留下自己的电话号码（最好是两遍，语速要慢）。我之前的雇主就常常在听完我那冗长的语音邮件前就删掉，因为她根本没有时间听我缓缓道来。

因此，我也学会了提前计划好自己在电话中要说的内容，将其大致写下来（要有序），我的疑问，我需要哪些具体措施等。我不会一字不落地写，否则就容易照本宣科了。

如何和另一个城市的人通电话，在通话之前上网搜索一下那里的近况比较好。如果了解了那里的天气、最近的焦点事件，在电话中我们就有了很多共同话题。

前台接待人员、呼叫中心接线员及服务中心接线员和其他个人没什么区别，因此，要同样对待，如果你迟迟不予回应，对方也会如此。如果你尊重他们，彼此之间就会建立很好的交流基础。弄清楚接电话的人叫什么名字，并写下来以方便记忆。

为什么要这么做呢？原因很简单：他们也是真实的个体，并非机器。其次，如果他们对你感觉良好，这样的印象也会传递到你要找的那个人那里。当然，和接线员交流时要真诚，要知道，他们的工作也是很繁忙的。

# 结　语｜不积跬步无以至千里

交谈中你只需管好自己就可以了，因为你没有办法控制他人的回复，因此也不要让他人的回复影响你的观点。

数年来，我一直在告诉大家“不积跬步无以至千里”的道理。多次使用这个例子后，我觉得自己应该实践一下。去年的 1 月 1 日那天，我开始了从洛杉矶前往丹佛的徒步旅程，整个行程约一千公里。

刚开始的时候，我会计算每天该走多远才能完成计划。后来，我在网上找到了一种计步器，这样，我就可以点击每天的起点，累加每天的英里数，绘制出徒步的地图了。我从圣塔莫妮卡海边码头起步，沿着 10 号洲际公路前行，多数时候我都沿着河岸走，每天三英里。有时候我会把一天的行程分为早晨、中午和傍晚三段。有时候我会多走一些，偶尔也会暂停。

把徒步旅行纳入时间表并坚持下去真的需要一些气力，不过，当行走开始后，脚下走过的路还是让我感到惊讶。没几周，我就把大都市洛杉矶抛在了身后，穿越沙漠小镇波隆和巴斯托，接着是拉斯维加斯和南犹他州。多数时候我都会提前弄清楚我行经地方的温度和当地的天气状况。

12 月 31 日，我再次点击网络地图，发现已经进入了丹佛市境内。

我们也可以从这个角度来看沟通力的提升。从我们现在所处的地方出发，到达一个名叫“自信交谈”的地方，看似是一个遥远而艰难的旅程。但是，如果我们将其分成一个个的小步骤，一点点的进步汇集起来，最终会成就大的梦想。

## 我们从哪里开始呢？

最好的起点就是当下的自己，你应该做到以下几点：

- 认识到自己的性格和脾气。
- 接受自己的独特性。
- 发挥自己的独特性，并以此为基础，和他人交流。

也就是说，要从自己的长处出发。沟通力的提升需要循序渐进，从审时度势到相互陪伴，从事先准备到仔细观察，然后是进展的评估，最终达到成功。

**第一步：审时度势。**

记得岳父在山上建小木屋的时候，他没有急于就地伐木，而是预先对建筑地点进行审度评估。他雇了专业人员测量土壤压实情况、排水系统及建筑地的条件。专业的数据加上一张梦想蓝图，就为工程最后的成功奠定了基础。

和他人交谈也是如此。不要急于开口，对整体状况先要有一个清晰的认识。这一步非常重要，却往往被忽视。仔细研究自己的性格脾气——也就是让你不同于他人的地方，然后评估一下你想要达到的目标和现实之间的差距。

目标一定要现实。如果你是内向型人，却想要成为每个人追求的派对焦点，那就要重新审视你的目标了。如果你能够充分利用上帝赋予你的独特之处，你就能够用自己的方式实现有效沟通，而不是亦步亦趋模仿他人。

最后花些时间听听内心的声音，将真实的和错误的感觉区分开来。分析使你不同于他人的“过滤器”，考虑一下塑造你思维方式的动态因素有哪些。

**第二步：相互陪伴。**

我曾经和一位比较内向的朋友讨论我们各自的车库里有多少工具。我们俩有一个相同点：需要这些工具的时候，我们都不想麻烦他人。因此，我们不会向他人借工具，而是将自己需要的工具买好，需要的时候自己动手。

对于一些小修小补这还奏效，可是，如果遇到大的问题又没有人可以求助的时候，就很困难了。每一次新的努力和尝试都会让我们充满积极性，可是，受挫时却没有人能为我们鼓劲儿。因此，通往有效沟通的道路上，有个人陪伴就显得非常重要了。

找一位和你水平相当的人，彼此陪伴，相互鼓励，共同进步。你们选择的活动应该具体而详细。不要直接说一句："我们这周要尝试外向些"，而要"这一周要和三个不认识的人在30秒的时间内开启交谈。"预先计划时间，检验彼此的进步，给对方以鼓励，帮助对方正确看待各自的成功和挑战。

几年前，我的儿子和他的一位好朋友，决定一起努力，提高自己和异性交谈的水平。他们讨论了开启交谈的新方法，并绘制了计划图，每周要交谈几次等等。我儿子的那位朋友有个优势：他是一家小型商业航空公司的飞行员，因此，在播放飞行公告的时候，他会说："如果哪位女士想要和飞行员喝杯咖啡，请在下飞机时将您的姓名和电话留下来，他就站在驾驶舱门旁。"

**第三步：事先准备。**

当探险者进入未知领域时，他们能否生存下来就完全取决于事先的准备了。因为不知道将要面临的是什么，他们只好研究地形地貌，整理工具，应对任何突发状况。准备得越充分，他们面对新的情况就越自信。

仔细考虑即将到来的会面，想一想你应该如何以真正在意对方、关心对方的态度与其交流？最可能的方式就是实事求是，想一下对方会有什么样的生活观和价值观，会有哪些困难、忧虑和恐惧。一定要将其视为普通的个体，而非将要攻克的难题。

准备一些一般性问题。如果将要遇到的人很特殊，可以将问题稍作调整。在和对方见面之前将问题写下来，多看几遍。

想一下，如果下一次有人问你“近来可好”时，你应该怎么回答。不要总是“还不错”就了事，换为有时效性的回复，将当时你经历的某些事情提及，说不定交谈就会自然开启了。不要给对方施加太多的压力，要边等边看，判断对方是否愿意交流。

如果有必要，准备一份清单，写出自己比较了解、可以讨论的话题也是不错的选择。这样，在大家都会遇到的交谈空白时间里你就可以自信满满了。

**第四步：学会观察。**

只要有机会，就仔细观察对方。仔细听对方所说，观察其面部表情和肢体语言。注意他们的行为、言语以及和你交谈的具体方式。当你把对方的交谈风格和自己的交谈风格作比较时，你就知道哪种方式更适合自己了。留意他们是如何应对棘手问题的，将他们所使用的方式和你打算使用的方式作比较。

这种方法在你感觉恐惧时尤为有用，尝试观察多数人都会忽视的细节：眼睛的颜色，他们说话时多久眨一次眼睛，或者任何容易被大家忽略的面部表情变化等。有意将注意力从自身转移到对方身上，这样，忙于观察就会冲淡紧张焦虑的情绪。

在你的电话旁放一个录音设备，下次通话时开启录音，将交谈中你所说的内容录制下来。稍后回放，这样你就知道你给对方留下什么印象了。对自己不要太严苛，其实，多数人都不喜欢听自己的声音。平时你听到的自己的声音和录制下来的不同，那是声音发出后，身体骨骼共振造成的。通过录音回放你就可以判断自己的说话方式、语音语调以及词语使用了。

**第五步：进展评估。**

接下来，就要正式开始交谈之旅了。你可以参考以下建议，以便让交谈之旅顺利进展：

● 将你希望落实的事项写下来。一次尝试一个，感觉有自信了，再继续下一个。

● 如果有必要，就从小群体交谈开始。比如，第一天在购物市场对十个人微笑；第二天，可以在微笑的基础上加一句“你好”等招呼语；第三天，可以在第二天的基础上，向对方询问时间。如果一开始的几步简单、自然，你就会逐渐自信起来。

● 找到五位你想见面的人。仔细计划你和每一位接触的方式，并且详细思考和他们的交谈过程。每次交谈后要做记录，以便提醒你谈到的话题以及下一次可以探索的新话题。可能你会觉得这样的做法更多地把对方视为了任务而非个人。其实不然，因为你所关注的只是如何努力在意对方而已。

● 与他人交谈时一定要显得外向、开朗。如果是在健身房，就把耳麦拿掉，如果在普通的公共场合，就不要躲在书后闷不作声。如果你这么做，就好比在身上贴上了“禁止接近”的标签。

● 如果有人主动和你交谈，那就好好利用这样的机会。要认识到，他们的主动恰恰让你不用再接受主动交谈的挑战了，也就是说，交谈中最困难的部分已经解决了。在感觉自如的环境中，你就可以和对方自由交谈，练习自己的交谈技巧了。

● 加入一个在某些方面和自己有共同点的小群体，和大家一起交谈。小型沙龙和慈善活动都是不错的方式，志愿者可以以此为平台，彼此交流。

● 通过熟悉的朋友接触陌生人。和朋友一起参加社交活动，在友好的氛围里比较容易接触新的朋友。

● 不管是什么社交场合，都尽可能地认识三个之前不认识的人，记住他们的名字，并在告别时使用对方的名字称呼对方。

● 如果你们聊得很不错，可以向对方要一下联系方式。几天之后寄送一份信件，表达一下交谈之后的愉悦感，简要提及你们谈过的话题，甚至可以附加一篇对方感兴趣的文章。这样非常有利于对方记住你，以便之后继续联络。

● 不要着急。现在的习惯是长久以来形成的，因此，在朝着有效沟通前进的道路上，要有足够的耐心。

**第六步：评估和称赞。**

千万不要小看了这一步的重要性。人们往往倾向于夸大失败，淡化成功，这对于进步时自我对话是不利的。一定要直面出现的问题，不要夸大也不要缩小。要认识到一次不顺利的交谈并不能说明什么：这只是你朝着成功前进的一步而已。

有个人陪伴也能突显其重要性。相互庆祝对方获得的小胜利、剖析失误之后，你更容易充满动力继续前行。

## 交谈时睁大眼睛

我们常说最好的防卫就是进攻。因此，关注导致交谈不顺利（这样我们就可以及时避免）或让交谈顺利（这样我们就可以保持下去）的因素就很有必要了。

**避免以下几点：**

（1）不要忽视其他人的感受。我们总以为，如果我们不去理睬某个人的感受，或者将其化小，感受就会自然消失。实际上，事情会因此变得更糟糕。我们要仔细倾听，以此判断对方的感受，并提供帮助。如果足够真诚，彼此之间的信任就可以建立起来。

（2）如果某人很沮丧，不要咄咄逼人地去劝说。对方需要的是感同身受，而不是建议。我们都有过这样的经历：想和对方推心置腹说说心里话，可是，对方却不断地提建议，试图解决问题。

在《面对灵车的深思》（*The View from a Hearse*）中，乔·贝里描述了他的三个儿子在不同时间去世的悲痛情境。他坐在医院的病床旁，看着已经停止呼吸的儿子，听着前来的人说着安慰的话，贝里说，这些人不知道该如何安慰他，不知道该说些什么。他知道大家都是好意，但是，他什么都不想听，只想一个人静静地感受悲痛，一点点消化悲痛。最后，一个朋友走了过来，他什么也没说，只是静静地坐在了他旁边。偶尔贝里会说点儿什么，这位朋友就简单地回应。后来，这位朋友准备起身离开，贝里真的不想让他走，因为他给予的正是贝里需要的。就像贝里写的那样：“对于一个经历痛苦的人，不要试图去‘证明’什么，拥抱、紧握对方的手或者一个亲吻就足够了：这些才是悲痛真正需要的，而不是逻辑推理。”

（3）如果他人需要稍长的时间才能“切中要点”的话，千万不要让自己走神。如果走神了，立刻让自己回到对方所说的内容上来，并集中注意力倾听。确保自己不要一直插话，补充对方言语中的暂停等空白。这样的话，他们会觉得你很贸然，似乎很急于从交谈中脱身。

（4）不要受第一印象的误导。我们和他人交谈的时间越长，就越能了解隐藏在表面之下的内容。我们应该这么想：无论对方是谁，交谈中我们所听到的、所看到的都并非全部。最近我给一个公共组织的职员开研讨会授课。当天第一个走进会场的人跟我聊了很多，说到了他的工作，他觉得别人的行为和他想象的如何不同以及他在公司的种种经历等。他给我的第一印象就是傲慢、独断，这并非我所期盼的。这样的人很容易把会场搞得一团糟。可是，慢慢地，我发现他并非真的傲慢和独断——他负责整个公司的安全问题，可是，就在研讨会的前一天晚上，有人就因为违反了安全程序而死亡。我一开始定义的“傲慢”其实是交谈中他表达安全问题时的激动情绪。三天的研讨会结束的时候，他对于公司职员细致的关怀和情感赢得了全体参会人员的尊重和信任。

（5）讲述个人经历时，一定要确保准确。因为你无法确定对方是否也身在其中，如果你的言辞夸张，对于细节描述不准确，他们就会产生质疑。

（6）如果和他人刚刚见面，千万不要发生争论。如果对方不认识你，彼此之间就不存在信任。没有信任，他们就没有理由花时间和精力听你陈述了。

（7）一定避免以下“交谈杀手”：

- 未经请求，给对方提建议（对方会将此视为傲慢）
- 纠正他人（比如，他人所说的细节、使用的语言表达以及所做的总结等）
- 显示出不感兴趣（如果没有兴趣，还有什么好谈的呢？）

● 道听途说（对方会认为你也会到他人那里说他们的是非）

● 在对方说到一半时，替他/她把句子说完整（这是他们的事，不需要你来做）

**我们可以选择的做法：**

（1）在表达自己的观点前，先仔细倾听对方的观点，考虑对方的感受。我们总是喜欢立刻表述自己的观点，告诉对方他们应该怎样。但是，如果在仔细倾听之前就给出回复，对方可能也不会采纳我们的观点。如果贸然给出对方不希望的建议，就等于在暗示对方他们无法独自应对。

（2）对新鲜话题保持足够的敏感。彼此认识再久，你也很可能没有完全了解对方。迪克是我的好朋友，我们认识十多年了。上周他和妻子一起来我家，我们围坐在露天阳台，看到很多鸟儿攒动在屋檐下的鸟食器周围，这个时候，他开始描述那些鸟儿的种类、名称、特点，他说自己曾经花了好几年自学鸟类知识。可是，我们认识这么久，我对此真的一无所知。几乎每个人都有我们不知道的知识或经历。因此，在每次交谈时，我们要特别注意去挖掘。

（3）遵守黄金法则：己所不欲，勿施于人。想一想交谈中对方做哪些事情会让你觉得无益，然后自己在交谈过程中要格外注意。

（4）假设交谈结束后你的另一半或朋友会让你重复交谈的内容，那你就要更加仔细地倾听，记住更多的信息了。

（5）确定自己真的想要倾听对方。这一点千万不要弄虚作假。如果不感兴趣，你的肢体语言和面部表情会出卖你。就我个人而言，我会在交谈前花些时间提醒自己仔细倾听，这对我交谈中的注意力会有很大影响。我会告诉自己，交谈很重要，我一定要认真去听。

（6）听他人说话的时候，记住之前讨论过的“过滤器”。任何话语都被生活经历和思维模式过滤，所以，你所理解的，未必是对方真正想表述的。

## 结束交谈

交谈中你只需管好自己就可以了，因为你没有办法控制他人的回复，因此也不要让他人的回复影响你的观点。

你没有办法和每个人都完美地交谈，这就像买东西。当你走进食品杂货店时，你径直走向果蔬摊点，可能所有的水果和蔬菜都不错，但是，相比较而言，其中一些更为吸引你，你会看一看这个，摸一摸那个，但是，最终挑选的只是其中一些。选购其中一些并不代表你有任何问题，只是这些更符合你的需要而已。

当然，交谈中不存在“选购”，但是，我们总要和不同的人接触，在这个过程中我们会选择自己想要继续联络的人。

要从现实出发。一开始的时候放慢速度，控制自己的进程，享受每一步的前进。先在自己感觉安适的范围内交谈，然后再逐步拓展领域。时间长了，交谈的领域就会越来越广了。

交谈中你会感觉自信、安适，但是，不要想着把所有的压力感都去掉。只有在一定的压力下，交谈才会真正进展顺利。

现实生活中并没有真正的随意交谈。任何有益的事情都需要我们付出努力，但是，所有的努力都应建立在自信的基础上。

# 致谢

我一直认为，写一本书对于作者的要求是最为苛刻的。毕竟，要写书，作者就要找个相对安静的地方，独自熬过无数时日，搜肠刮肚找词语，让自己的想法最终形成连贯的语句；而后眼巴巴地看着最后期限的到来，拼尽全力按时交稿。草坪顾不上修整，汽车顾不上打蜡，除了写书，生活的各个方面都要搁置！换句话说，书稿完工前，一切有意思的、没意思的事儿我都只能不闻不问。

而此时此刻，我却发现他人的付出其实比我更多。写书期间我完全不理会家里的大事小事，对此妻子戴安毫无怨言，依然扮演着我的最佳搭档。就算我再怎么擅长写作，我也无法找出合适的词语表达我对她的爱和感激。你看，这是一份多么让人惊喜的礼物！

我的女儿萨拉，为了能够帮助我，精心安排自己的时间。我写书的时候，她怀有身孕，交稿两周之后，她的第二个女儿埃琳娜就出生了，和萨拉一家一起度过的时光让我倍感珍惜。在过去的几个月中，这样的时光少之又少，交稿之后，我必须要重温。对我来说，和女儿一家人在一起确实弥足珍贵。

贝斯·佳鑫悦是我的代理人，她的无微不至简直要把我宠坏了，正是她的付出和友谊让最近两本书的出版过程充满了乐趣。要说感谢，我更应该感谢“艾利佛沟通”（Alive Communications）中介机构，正是通过该中介机构我才认识了贝斯。

对我来说，贝斯送给我的最佳礼物就是把这本书推荐给了威望公司（Revell）的维姬·克来普顿。当我得知可以再次和她合作时，整个出版过程都充满了节日般的喜庆。她娴熟的编辑技能让人享受其中，就像欣赏伦勃朗作画一般美妙。她知道如何把我的口头表述转化为艺术作品，而同时作品中又不失我的观点和声音。和她再次合作真是我的荣幸。

图书在版编目（CIP）数据

跟任何人都聊得来 ：最受世界 500 强企业欢迎的沟通课 / （美）贝克特尔著 ；陈芳芳译 . -- 北京 ：九州出版社，2014.5

ISBN 978-7-5108-2982-6

Ⅰ. ①跟… Ⅱ. ①贝… ②陈… Ⅲ. ①人际关系学—通俗读物 Ⅳ. ① C912.1-49

中国版本图书馆 CIP 数据核字（2014）第 099752 号

北京版权保护中心外国图书合同登记号：01-2014-3964



**跟任何人都聊得来：最受世界 500 强企业欢迎的沟通课**

---

| | |
|---|---|
| 作　　者 | （美）迈克 · 贝克特尔　著　陈芳芳　译 |
| 出版发行 | 九州出版社 |
| 出 版 人 | 黄宪华 |
| 地　　址 | 北京市西城区阜外大街甲 35 号（100037） |
| 发行电话 | (010)68992190/3/5/6 |
| 网　　址 | www.jiuzhoupress.com |
| 电子信箱 | jiuzhou@jiuzhoupress.com |
| 印　　刷 | 三河市国新印装有限公司 |
| 开　　本 | 710 毫米 ×1000 毫米　16 开 |
| 印　　张 | 14.75 |
| 字　　数 | 150 千字 |
| 版　　次 | 2014 年 7 月第 1 版 |
| 印　　次 | 2014 年 7 月第 1 次印刷 |
| 书　　号 | ISBN 978-7-5108-2982-6 |
| 定　　价 | 36.00 元 |

---